Refletir sobre a dor e o sofrimento humano não é tarefa fácil, mas é necessária, especialmente quando essa reflexão tem as Escrituras como ponto de partida. O texto do pastor Luciano Subirá é excelente, terapêutico e bíblico; traz as lágrimas humanas para o solo da teologia, solo esse nutrido pela esperança que brota do amor e do cuidado de Deus. Recomendo a degustação reflexiva de todo o livro, sobretudo a abordagem que apresenta sobre a teologia da dor. Leitura indispensável para os que assumem a sua humanidade e abraçam a graça consoladora de Deus, e também para os que lidam de perto com o sofrimento alheio, como enfermeiros de Deus na cura de feridas da alma.

ESTEVAM FERNANDES DE OLIVEIRA
Pastor da Primeira Igreja Batista de João Pessoa (PB),
psicólogo clínico, escritor e conferencista

A transformação da tristeza em alegria é algo sobrenatural, poderoso e, verdadeiramente, um agir de Cristo. É o desfrute da consolação e do fortalecimento que vêm à medida que conhecemos mais e mais a Deus e sua liberdade já concedida a nós. Meu amigo e irmão Luciano Subirá foi mais uma vez usado por Jesus para trazer luz à nossa caminhada.

ANDRÉ VALADÃO
Pastor da Lagoinha Orlando Church (EUA),
cantor, compositor e conferencista

Num tempo em que os púlpitos e os livros insistem em propor uma vida cristã ilusória, refém do conforto humano, celebro e recomendo esta nova obra de Luciano Subirá. Não se trata de mais uma tentativa de negar o preço que a carreira da fé exige, com renúncias e lágrimas constantes. Na verdade, o que o autor se propõe fazer é mostrar, com a abundante argumentação bíblica que se tornou sua marca registrada, a importância do sofrime caráter e para o testemunho público de alg

Não pense, porém, que você verá aqui a defesa do sofrer como expressão de espiritualidade por si mesmo. Antes, o que esta leitura lhe dará é a percepção de que chorar será, muitas vezes, o único caminho para se provar a alegria do propósito, a única que invade a eternidade.

Danilo Figueira
Pastor da Comunidade Cristã de Ribeirão Preto (SP),
escritor e conferencista

Todos nós passamos por momentos difíceis e, às vezes, chegamos a pensar que a alegria é apenas uma lembrança distante. Acordamos pela manhã e vamos para a cama à noite com lágrimas, a ponto de o horizonte de possibilidades desaparecer diante dos nossos olhos. Questionamos: "Isso é tudo o que Deus tem para mim? Serei feliz de novo?".

Deus, contudo, é especialista em transformar tristeza em alegria. A Bíblia afirma: "Transformaste meu pranto em dança; tiraste minhas roupas de luto e me vestiste de alegria" (Sl 30.11, NVT). Esta leitura o levará a conhecer de maneira pessoal e inspiradora o Deus que faz novas todas as coisas.

Flavio Valvassoura
Pastor da Igreja do Nazareno Central em Campinas (SP),
escritor e conferencista

Como Deus transforma a tristeza em alegria

LUCIANO SUBIRÁ

MUNDO CRISTÃO

Copyright © 2021 por Luciano Subirá

Os textos bíblicos foram extraídos da *Nova Almeida Atualizada* (NAA), da Sociedade Bíblia do Brasil, salvo as seguintes indicações: *Almeida Revista e Atualizada*, 2ª ed. (RA), da Sociedade Bíblia do Brasil; *Nova Versão Internacional* (NVI), da Bíblica Internacional; e *Nova Versão Transformadora* (NVT), da Editora Mundo Cristão, sob permissão da Tyndale House Publishers. Eventuais destaques em textos bíblicos e citações em geral referem-se a grifos do autor.

Todos os direitos reservados e protegidos pela Lei 9.610, de 19/02/1998.

É expressamente proibida a reprodução total ou parcial deste livro, por quaisquer meios (eletrônicos, mecânicos, fotográficos, gravação e outros), sem prévia autorização, por escrito, da editora.

CIP-Brasil. Catalogação na publicação
Sindicato Nacional dos Editores de Livros, RJ

S934c

    Subirá, Luciano
        Como Deus transforma a tristeza em alegria / Luciano Subirá. - 1. ed. - São Paulo : Mundo Cristão, 2024.
        160 p.

        ISBN 978-65-5988-303-5

        1. Vida cristã. 2. Sofrimento - Aspectos religiosos - Cristianismo. 3. Consolação. 4. Esperança - Aspectos religiosos - Cristianismo. I. Título.

24-88273   CDD: 248.86
                                      CDU: 27-584-185.2

Meri Gleice Rodrigues de Souza - Bibliotecária - CRB-7/6439

Categoria: Inspiração
1ª edição: abril de 2021
Novo formato: março de 2024

Edição
Daniel Faria

Revisão
Natália Custódio

Produção e diagramação
Felipe Marques

Colaboração
Ana Luiza Ferreira
Raquel Xavier

Capa
Jonatas Belan

Publicado no Brasil com todos os direitos reservados por:
Editora Mundo Cristão
Rua Antônio Carlos Tacconi, 69
São Paulo, SP, Brasil
CEP 04810-020
Telefone: (11) 2127-4187
www.mundocristao.com.br

À memória de homens que contribuiram de forma inestimável para a minha vida e o meu ministério e que partiram desta vida enquanto eu preparava este livro.
Mais que saudades, deixaram um legado a ser honrado; sempre terão minha gratidão, amor e respeito:

Joel Batista Ferraz, meu sogro. A distância geográfica não nos permitiu um convívio íntimo e profundo como eu gostaria de ter desfrutado, mas o impacto de sua existência na vida da Kelly já seria motivo suficiente para eu ser sempre grato a Deus por seu legado.

Miguel Piper e Francisco Gonçalves, dois dos três homens que impuseram suas mãos sobre mim quando fui ordenado ao ministério. Eles sempre acreditaram e investiram naquilo que eu viria a me tornar. Foram exemplo de integridade e frutificação e fizeram um excelente depósito em minha vida; nunca deixarei de me empenhar em honrar seu legado.

SUMÁRIO

Prefácio ... 9
Introdução ... 11

1. Começando do início ... 13
2. Lágrimas no odre ... 27
3. Dois tipos de mudança ... 39
4. O tempo de chorar ... 57
5. Tipos de choro ... 75
6. O processo inverso ... 87
7. Por que você está chorando? ... 99
8. Reação e superação ... 121
9. O grande final ... 135

Uma palavra final ... 153
Notas ... 157
Sobre o autor ... 159

PREFÁCIO

Muitos acreditam que há apenas extremos: ou alegria sem cristianismo ou cristianismo sem alegria. Obviamente, a alegria verdadeira, plena e permanente procede de Deus; desconectar-se do Criador, buscando apenas os prazeres transitórios do pecado, se revelará algo ilusório.

Entretanto, isso não significa que não exista uma espécie de "alegria complementar", proporcionada pelo próprio Deus. Considere-se, por exemplo, o caso de Adão, no Éden; antes de pecar, quando desfrutava de perfeita comunhão com o Altíssimo, constatou-se que o homem estava "só". Ele ainda precisava de companhia humana, ou seja, de alegria emocional.

O problema se estabelece quando aquelas alegrias que deveriam ser meramente complementares se tornam substitutas da verdadeira alegria, que procede do relacionamento com Deus. Ou mesmo quando caímos na armadilha de buscar as alegrias que nos afastarão da conexão divina.

Nesta obra, meu amigo Luciano Subirá, conhecido por sua ênfase na espiritualidade mas que vive um cristianismo alegre e divertido, nos conduz por um caminho de compreensão daquilo que a Bíblia, a Palavra de Deus, nos ensina. Recomendo vários outros títulos dele, mas confesso que este é um dos mais próximos do DNA do meu chamado ministerial. Sempre achei que minha alegria era solitária, mas comecei a descobrir que pessoas tão sérias como ele, no fim de tudo, acabariam apreciando o mesmo ambiente alegre que eu sempre apreciei e sempre procuro proporcionar aonde quer que eu vá.

Diga não à tristeza e volte-se para o Deus que a transforma em alegria!

CLAUDIO DUARTE
Pastor do Projeto Recomeçar, em Xerém (RJ),
escritor e conferencista

INTRODUÇÃO

Em agosto de 2020, preguei em nossa igreja, a Comunidade Alcance, em Curitiba, uma trilogia de mensagens relacionadas àquilo que, em tom de brincadeira, denominei "a teologia das lágrimas". Por três domingos consecutivos preguei as mensagens "Por que choras?", "Lágrimas no odre" e "Capacidade de superação".

No decorrer daquelas ministrações, notei não apenas uma grande receptividade à instrução bíblica como também uma preciosa manifestação de graça divina promovendo consolação e encorajamento na vida dos irmãos. O retorno que obtive, principalmente dos que caminham comigo há muitos anos, foi o de que nunca tinham me ouvido abordar o assunto daquela maneira. Segundo o que me disseram, até os trechos das mensagens que já não eram novidade traziam uma visão mais madura e abrangente dos princípios compartilhados em outras ocasiões.

Além dessa reação positiva, também ouvi um repetido (e por vezes veemente) apelo para que eu registrasse por escrito aquelas verdades bíblicas. Procuro ser intencional e estratégico em tudo o que faço; raramente sou reativo. Antes, prefiro ser *proposital*, isto é, prefiro ser movido pelos propósitos divinos, não humanos. Entretanto, discerni, por trás de cada pedido por este livro, uma espécie de movimento divino que, alinhado a um senso de urgência que não condizia com o meu usual planejamento de escrita, alimentava a *convicção* que já estava dentro de mim desde o primeiro domingo que preguei: as mensagens precisavam ser organizadas em forma de livro.

Alguns dias após ter concluído a terceira mensagem, a certeza já havia se fortalecido o suficiente dentro de mim, e iniciei o projeto. O ato de escrever me possibilitou a liberdade de ampliar consideravelmente tanto a exposição como a aplicação do tema abordado nas pregações. E decidi fazê-lo, sem que isso significasse estender-me demasiadamente no assunto ou abordá-lo de forma meramente técnica.

Oro para que o Espírito da Verdade conduza o leitor na reflexão dos preceitos apresentados nas próximas páginas. Que a meditação o guie ao entendimento e que o entendimento, por sua vez, se transforme em aplicação prática — com aquela ação *personalizada* que somente o Espírito de Deus pode realizar.

Boa leitura!

1
COMEÇANDO DO INÍCIO

Esta é uma jornada de reflexão a respeito do choro, ou melhor dizendo, daquilo que está por trás das lágrimas: a tristeza e a dor. Entretanto, mais que transitar pelo óbvio, reconhecendo a existência indiscutível do sofrimento, e mais que apenas dissecar, tecnicamente, a constatação bíblica do choro, minha intenção é apresentar a dinâmica das ações divinas para com os seres humanos, dinâmica essa que é revelada em sua Palavra.

O Criador não é indiferente ao sofrimento visível da criação. Há uma razão para a dor e a tristeza terem encontrado lugar na humanidade. E, enquanto descrentes atacam o conceito de divindade afirmando que um Deus só poderia caber em um mundo sem sofrimento, nós, cristãos, buscamos entender, por meio da Bíblia, não apenas a explicação para a existência da tristeza e dor, como também a proposta divina para socorrer aqueles que sofrem.

A verdade é que Deus, um dia, extinguirá a dor e as lágrimas (Ap 7.17). Carregamos essa certeza e esperança. Antes, porém, de compreender como o choro nos deixará, comecemos por entender como foi que ele entrou em nossa história.

O que é o choro? A pergunta, mesmo sob a perspectiva científica, ainda não parece ter uma resposta plena e satisfatória. Um artigo intitulado "Por que choramos?", publicado há alguns anos na revista *Superinteressante*, afirma que as lágrimas emocionais não têm "um propósito bem definido" e "não trazem nenhum benefício especial para a córnea ou para a superfície ocular".[1] Todavia, a falta de benefício físico para as córneas não significa a inutilidade do choro. Um estudo realizado em Minnesota, nos Estados Unidos, descobriu que "chorar contribui para redução de estresse e evita o ganho de peso. Isso ocorre porque substâncias como prolactina, adrenocorticotrófico, leucina e encefalina (que é um analgésico natural) são produzidas pelo corpo em situações de grande estresse e, durante o choro, as mesmas são eliminadas junto com as lágrimas".[2]

Portanto, os resultados benéficos do choro vão além da lubrificação dos olhos. Chorar também é uma forma de expressar ou transbordar emoções, uma espécie de "válvula de escape" emocional. Ou, fazendo uso de termos técnicos, "o fenômeno biológico envolvido na produção de lágrimas, nas contrações faciais e, às vezes, nos ruídos audíveis é um reflexo psicogênico, resultante da interação entre as áreas límbicas do cérebro que regulam a experiência consciente das emoções internas e das respostas fisiológicas".[3]

Vejamos, agora, o que as Escrituras Sagradas têm a nos dizer sobre o assunto. Na Bíblia, encontramos menções ao choro e às lágrimas em relação com as emoções: "Com *lágrimas* se consumiram os meus olhos, a minha alma *se agita*; o meu coração se derramou de *angústia*", escreveu o autor de Lamentações (Lm 2.11). Paulo afirmou aos coríntios: "Porque lhes escrevi no meio de muitos sofrimentos e *angústia* de coração, com muitas *lágrimas*" (2Co 2.4). Fica evidente, nesses trechos, a relação das lágrimas com as emoções.

Todavia, além dos aspectos físicos e emocionais, devemos considerar a perspectiva espiritual; o choro pode produzir benefícios e resultados nesta esfera da vida. Deus, por intermédio do profeta Isaías, disse ao rei Ezequias: "Ouvi a sua oração e vi as suas *lágrimas*. Eis que eu vou *curá-lo*" (2Rs 20.5). A intervenção divina de cura do rei de Judá é mencionada como uma resposta não somente às suas orações, mas também às suas lágrimas. E é por essa dimensão espiritual do choro que trilharemos ao longo deste livro. A Palavra de Deus é nossa única regra de fé e conduta; portanto, procurarei fundamentar na instrução bíblica todos os meus argumentos no desenvolvimento deste tema.

O plano original

Dizem que a melhor forma de se entender o propósito de algo é voltando à origem dele. Julgo que há certa verdade nessa declaração. O próprio Cristo, questionado pelos fariseus acerca do divórcio, propôs que se analisasse o casamento a partir de seu propósito original:

> — *Vocês não leram* que o Criador, *desde o princípio*, os fez homem e mulher e que disse: "Por isso o homem deixará o seu pai e a sua mãe e se unirá à sua mulher, tornando-se os dois uma só carne"? De modo que já não são mais dois, porém uma só carne. Portanto, que ninguém separe o que Deus ajuntou.
>
> Mateus 19.4-6

Nessa declaração de Jesus há duas verdades que quero destacar. A primeira é o que está por trás do questionamento "Vocês não leram...?". Obviamente, nosso Senhor referia-se à leitura das Sagradas Escrituras e, dessa forma, apontava para o fundamento sobre o qual devemos edificar nossas convicções: a Palavra de Deus.

A segunda verdade está relacionada à menção que Jesus faz ao primeiro casal antes de discutir as questões concernentes ao matrimônio. Ao recorrer ao primeiro casal para tratar do assunto, o Mestre mostrava que se pode encontrar o propósito de algo em sua origem. Enquanto os líderes judeus queriam discutir a questão do divórcio, Cristo apontava para a profunda união proposta pelo Criador, desde o princípio. O desígnio original era que homem e mulher se tornassem uma só carne; que a união promovida por Deus não fosse comprometida pela separação humana.

Diante disso, os fariseus replicaram alegando que Moisés (ou seja, a lei que Deus entregara por meio do líder hebreu) permitira o divórcio (Mt 19.7). Por mais correta que fosse aquela menção, ela não analisava a *origem* do matrimônio, onde seu propósito poderia ser encontrado, mas sim um momento específico da história de Israel. Jesus, então, devolve a argumentação ao ponto de partida, dizendo: "Foi por causa da dureza do coração de vocês que Moisés permitiu que vocês repudiassem a mulher, mas *não foi assim desde o princípio*"(Mt 19.8). O trecho destacado mostra que o propósito estava lá na origem.

O divórcio permitido por Moisés era uma exceção, não a regra. E havia um motivo para tal exceção: a dureza do coração humano. Entretanto, a nova aliança, firmada em Cristo, traria solução para esse problema. Por intermédio do profeta Ezequiel, Deus havia prometido: "Eu lhes darei um coração novo e porei dentro de vocês um espírito novo. Tirarei de vocês o coração de pedra e lhes darei um coração de carne" (Ez 36.26). O que Jesus estava dizendo, portanto, era que a razão de ser da exceção desapareceria e, com ela, a própria exceção. O Mestre complementa: "Eu, porém, lhes digo: quem repudiar a sua mulher, não sendo por causa de relações sexuais ilícitas, e casar com outra comete adultério" (Mt 19.9). Dessa forma, nosso Senhor indicou a restauração do casamento a partir do plano original, no qual o propósito divino havia sido revelado.

Bem, a proposta deste livro não é analisar o matrimônio, mas sim o tema da tristeza e da dor. Meu ponto, todavia, é ressaltar que uma análise honesta, abrangente e completa do assunto deveria seguir os mesmos fundamentos que Jesus apresentou em sua análise sobre o casamento. Portanto, nós nos debruçaremos sobre as Escrituras e analisaremos o que a Palavra de Deus tem a nos dizer. E também voltaremos à origem, ao começo de tudo, a fim de entender o propósito do Criador para a humanidade.

De igual modo, demonstrarei que, assim como o casamento se afastou de seu propósito inicial em decorrência do pecado e da consequente dureza do coração humano mas teve sua restauração anunciada por Jesus, também se deu o mesmo com o tema da tristeza e das lágrimas. O sofrimento é consequência de um desvio do propósito de Deus, mas há uma provisão divina para isso.

Em Gênesis, o livro dos começos, constatamos que Deus criou o ser humano à sua imagem e semelhança (1.26-27). A comunhão entre Criador e criatura era intensa, íntima e diária. O homem foi dotado de glória pelo Altíssimo; a esse respeito o rei Davi escreveu: "Que é o homem, para que dele te lembres? E o filho do homem, para que o visites? Fizeste-o, no entanto, por um pouco, menor do que Deus e de glória e de honra o coroaste" (Sl 8.4-5). As descrições desse estado original são impressionantes bem como reveladoras: apontam o propósito do Criador para sua bela criação, o ser humano.

A queda

Ninguém ignore, entretanto, que o Eterno também advertiu sobre o risco de se perder aquilo que ele, em sua graça, havia confiado à humanidade.

> O Senhor Deus tomou o homem e o colocou no jardim do Éden *para o cultivar e o guardar*. E o Senhor Deus ordenou ao homem:
> — De toda árvore do jardim você pode comer livremente, mas da árvore do conhecimento do bem e do mal você não deve comer; porque, no dia em que dela comer, *você certamente morrerá*.
> Gênesis 2.15-17

É dessa perspectiva, penso eu, que se deve avaliar os primeiros comissionamentos que Deus deu a Adão, o primeiro homem. Quando lemos que o Senhor o colocou no jardim para o *cultivar*, isso faz bastante sentido. O cultivo da terra seria o meio de sustento; ou seja, a primeira responsabilidade conferida ao ser humano diz respeito ao trabalho. Mas o texto também indica outra responsabilidade para a qual Adão foi colocado naquele jardim: para o *guardar*. E aqui surge o questionamento: guardar do quê? De quem? Até então, a própria mulher ainda não havia sido criada e, com exceção dos animais, que em si mesmos não constituíam àquela altura nenhuma ameaça, o homem encontrava-se sozinho no jardim. Qual era o perigo para o qual o primeiro homem se deveria atentar?

O contexto da declaração divina aponta na direção da única ameaça: o pecado. O Eterno estabeleceu uma proibição, vetando que se comesse do fruto da árvore do conhecimento do bem e do mal, e esclareceu que haveria consequências para sua transgressão: "no dia em que dela comer, você certamente morrerá". A ameaça, portanto, era a desobediência, o pecado. E o inimigo do qual o jardim deveria ser guardado era, muito provavelmente, o diabo que se utilizaria da tentação para levar o homem à queda espiritual.

A sequela de morte que acompanharia o pecado não se limitava à morte física. Aliás, vale ressaltar que o conceito de morte, na Bíblia, não retrata fim de existência, e sim *separação*. Até mesmo no caso de morte física, a Palavra de Deus afirma que "o corpo sem espírito é morto" (Tg 2.26). Ou seja, o homem interior deixa de habitar o corpo e já não pode comunicar-se e interagir com outros neste mundo. Embora não tenha deixado de existir, está separado da dimensão física de contato com as demais pessoas.

No caso de Adão e Eva, que pecaram no Jardim, a morte da qual Deus os advertiu não era física, e sim espiritual. Basta reconhecer que eles não morreram fisicamente no dia em que pecaram; todavia, morreram espiritualmente. Sim, a morte física também entrou no pacote das consequências do pecado, assim como as enfermidades, as maldições e todo sofrimento. Adão, contudo, viveu 930 anos (Gn 5.5), o que comprova que não morreu fisicamente logo após ter pecado.

Além disso, o apóstolo Paulo nos diz como tal morte — espiritual — foi transmitida ao restante da humanidade: "Portanto, assim como *por um só homem entrou o pecado no mundo*, e pelo pecado *veio a morte*, assim também a morte passou a toda a humanidade, porque todos pecaram" (Rm 5.12). A sequência é clara: primeiro o homem pecou e, assim, expôs-se à morte. Esta, por sua vez, foi transmitida a toda a raça humana. Escrevendo aos efésios, o mesmo Paulo afirmou: "[Jesus] lhes deu vida, quando vocês *estavam mortos* em suas transgressões e pecados" (Ef 2.1).

A condição de morte espiritual de Adão foi transmitida a todos os seres humanos. Isso não significa, mais uma vez, que o espírito do homem deixou de existir, e sim que ficou separado de Deus. Essa é uma das consequências do pecado, conforme anunciou o profeta Isaías: "Mas as iniquidades de vocês *fazem separação entre vocês e o seu Deus*; e os pecados que vocês cometem o levam a esconder o seu rosto de vocês, para não ouvir os seus pedidos" (Is 59.2).

Deus é santo por natureza e não pode ter comunhão alguma com o pecado. Quando o homem peca, prejudica a si mesmo, pois afasta-se de Deus. A separação ocasionada pelo pecado é chamada de "morte" ou mesmo de "inimizade para com Deus". Adão foi o primeiro a provar tal separação, mas ela foi transmitida a todos os seres humanos por uma questão de natureza. Na criação, o Senhor estabeleceu uma lei. Cada vegetal e animal deveria reproduzir "segundo a sua espécie", expressão que aparece repetidas vezes no relato bíblico (Gn 1.11-12,24-25). Mas a lei também valia para os seres humanos. Portanto, quando o homem se tornou pecador ele passou, a partir de então, a gerar descendentes semelhantes a si próprio, isto é, passou a gerar *pecadores*. Essa é a razão pela qual Davi, falando pelo Espírito Santo, fez as seguintes declarações: "Eu *nasci na iniquidade*, e em pecado me concebeu a minha mãe" (Sl 51.5); "Os ímpios se desviam *desde a sua concepção*; nascem e já se desencaminham, proferindo mentiras" (Sl 58.3).

Tenho dois filhos. Sei, por experiência, que é difícil para um pai imaginar que seus "anjinhos" nasceram em pecado. Mas é apenas uma questão de tempo, e a natureza pecaminosa vai aparecendo... É necessário que, além de ensinar-lhes o que é certo, ainda haja correção atrás de correção a fim de afastá-los do erro. O que é ruim não precisa ser ensinado às crianças, e o que é bom deve ser muito bem ensinado e imposto!

Por que isso acontece?

Porque o problema do homem está ligado à sua natureza. "Será que o etíope pode mudar a sua pele ou o leopardo, as suas manchas?", perguntou o profeta Jeremias. "Se fosse possível, também vocês poderiam fazer o bem, estando acostumados a fazer o mal" (Jr 13.23). Assim como o etíope não muda a cor da sua pele nem o leopardo, as suas manchas — porque se trata da *natureza* de cada um deles —, também o fato de fazermos o mal, ao invés do bem, é um problema de natureza. Sim, o ser humano já nasce pecador!

A doutrina bíblica, portanto, apresenta o homem com um grave problema de nascença: sua natureza pecaminosa. E, por mais coisas erradas que alguém já tenha feito na vida, a inimizade e a separação de Deus acontecem pela própria natureza humana. Ele não se torna pecador, já *nasce* pecador. Quem matou e quem nunca matou se encontram na mesma categoria: ambos pecadores. Quem roubou e quem nunca roubou têm igualmente uma natureza pecaminosa. Quem deixou de praticar pecados "piores" evitou maiores consequências em sua vida, mas está tão separado de Deus quanto o pior dos pecadores sobre a face da terra!

Vejamos mais um texto bíblico: "Pois *todos pecaram* e carecem da glória de Deus" (Rm 3.23). O termo grego traduzido por "carecem" é *hustereo*, que significa "ficar para atrás", no sentido de falhar em alcançar o objetivo, de estar em falta, aquém. A Nova Versão Transformadora (NVT), por exemplo, traduz assim o versículo: "Pois todos pecaram e *não alcançam o padrão* da glória de Deus". Foi essa a clara consequência da queda do homem. E o estrago do primeiro pecado cometido lá no Jardim do Éden perdura até hoje. Na teologia, denominamos esse evento de "queda".

A restauração em Cristo

Por isso Cristo precisou vir fazer algo por nós! O sacrifício de sua morte em nosso lugar, seguido de sua gloriosa ressurreição, são o objeto de nossa fé. Em Jesus a restauração do ser humano se inicia e também se consuma. Para os que creem nele, a condição de morte espiritual se reverte:

> Mas Deus, sendo rico em misericórdia, por causa do grande amor com que nos amou, e estando nós *mortos* em nossas transgressões, *nos deu vida juntamente com Cristo* — pela graça vocês são salvos — e juntamente com ele nos ressuscitou e com ele nos fez assentar nas regiões celestiais em Cristo Jesus.
>
> Efésios 2.4-6

Foi necessário que o Pai enviasse seu Filho a fim de restaurar o plano original. Conforme o famoso versículo de João 3.16: "Porque Deus amou o mundo de tal maneira que deu o seu Filho unigênito, *para que todo o que nele crê não pereça*, mas tenha a vida eterna". O amor de Deus expressou-se em Cristo para livrar-nos da perdição eterna. A consequência de morrer no pecado é muito séria! O Senhor Jesus Cristo declarou que o inferno foi criado para o diabo e seus anjos (Mt 25.41), e não para o ser humano, a quem Deus criou à sua imagem e semelhança. Contudo, devido à separação e à inimizade resultantes do pecado, o homem está sentenciado ao mesmo destino do diabo. A única forma de evitar tal fim é crer em Jesus e em sua obra de reconciliação. Assim, a morte espiritual é anulada e a vida eterna nos é concedida.

Referindo-se à morte substitutiva de Cristo, o apóstolo Paulo afirma: "*Aquele que* não conheceu pecado [isto é, Jesus], *Deus o fez pecado por nós, para que, nele, fôssemos feitos justiça de Deus"* (2Co 5.21). É importante que você entenda o que Jesus fez por você. O evangelho convida todos a se arrependerem de seus pecados e crerem em Cristo como Salvador. Se você já fez isso, deve compreender tanto a obra redentora como seus benefícios. Mas, se ainda não se arrependeu e creu, saiba que esse é o primeiro passo. Não protele, nem fuja disso. Deus chama você! Volte-se para ele e entregue a vida a Jesus!

Outras consequências da queda

Além da morte espiritual, há outras consequências a se considerar quanto à queda do ser humano. Ouso declarar que a dor, a tristeza e as lágrimas *não eram parte* do plano divino para a humanidade. E, a meu ver, não é difícil chegar a essa conclusão.

Uma vez que no desfecho da obra da redenção a realidade do choro será definitivamente extinta, então podemos entender que a tristeza não fazia parte do projeto inicial. Tratarei mais profundamente desse glorioso desfecho no capítulo que encerra este livro, mas por ora é importante ao menos vislumbrar como essa história do choro termina.

Aproximadamente sete séculos antes de Cristo, o profeta Isaías anunciou: "Tragará a morte para sempre, e, assim, *enxugará o Senhor Deus as lágrimas de todos os rostos*" (Is 25.8). O apóstolo João, cerca de oitocentos anos depois de Isaías, também registrou o final da história do sofrimento: "Pois o Cordeiro que se encontra no meio do trono os apascentará e os guiará para as fontes da água da vida. E *Deus lhes enxugará dos olhos toda lágrima*" (Ap 7.17). Declaração semelhante é repetida por João em Patmos, logo após sua visão do retorno de Jesus:

> E vi novo céu e nova terra, pois o primeiro céu e a primeira terra passaram, e o mar já não existe. Vi também a cidade santa, a nova Jerusalém,

que descia do céu, da parte de Deus, preparada como uma noiva enfeitada para o seu noivo. Então ouvi uma voz forte que vinha do trono e dizia:

— Eis o tabernáculo de Deus com os seres humanos. Deus habitará com eles. Eles serão povos de Deus, e Deus mesmo estará com eles e será o Deus deles. E lhes enxugará dos olhos toda lágrima. E *já não existirá mais morte, já não haverá luto, nem pranto, nem dor*, porque as primeiras coisas passaram.

E aquele que estava sentado no trono disse:

— Eis que *faço novas todas as coisas*.

E acrescentou:

— Escreva, porque estas palavras são fiéis e verdadeiras.

Apocalipse 21.1-5

Na consumação da obra de Cristo em seu regresso, após a conclusão de novos céus e nova terra, Deus habitará com a humanidade. Isso é um retorno ao plano original da criação. E, então, não haverá mais morte, pois ela não fazia parte do plano original. Também não haverá luto nem pranto, que derivam da morte. Mas também não haverá mais dor, pois a dor, seja ela física ou emocional, é resultado da queda e, portanto, será eliminada na restauração do projeto inicial do Criador.

Escrevendo acerca da árvore da vida, João também asseverou que "as folhas da árvore são para a *cura* dos povos" (Ap 22.2). Haverá, assim, o fim das doenças e das enfermidades, e também "nunca mais haverá qualquer maldição" (Ap 22.3).

Com base nesse grandioso final, podemos presumir que a dor e o choro não eram o plano perfeito de Deus para os seres humanos. Infelizmente, o pecado entrou na história humana e deixou seu efeito colateral. Não se pode tratar o assunto do sofrimento e das lágrimas sem considerar sua porta de entrada. Trata-se, como vimos, de um desvio do plano original de Deus. A boa notícia é que um dia isso mudará por completo. Deus enxugará dos olhos toda lágrima!

Este dia, porém, ainda não chegou. Neste nosso mundo, tal realidade ainda não mudou e o choro faz parte de nossa vida. Se assim não fosse, não faria sentido a orientação de Paulo aos cristãos de Roma: "Alegrem-se com os que se alegram e *chorem com os que choram*" (Rm 12.15). O choro e as lágrimas são, no tempo presente, parte da vida humana, e isso inclui aqueles que amam e temem a Deus. De fato, o choro é parte do ministério, do serviço a Cristo. Paulo disse: "Portanto, vigiem, lembrando que [...] não cessei de admoestar, *com lágrimas*, cada um de vocês" (At 20.31).

Isso não significa que, até que Deus nos enxugue as lágrimas em definitivo, não haverá uma provisão divina para os seus filhos no tempo presente. O Senhor Jesus, no célebre Sermão do Monte, afirmou: "Bem-aventurados os que choram, porque serão *consolados*" (Mt 5.4). A ideia de ser consolado, para a maioria de nós, parece sugerir apenas o fim do choro, como se o Pai celeste pudesse remover o sentimento ruim sem, necessariamente, acrescentar algo bom. Contudo, no registro do Evangelho de Lucas, foi registrada uma perspectiva mais abrangente da consolação prometida: "Bem-aventurados são vocês que agora choram, porque *vocês hão de rir*" (Lc 6.21).

Que promessa! O choro substituído por riso. A tristeza transformada em alegria. É disso que este livro trata, e agora buscaremos aprofundar esse entendimento.

2

LÁGRIMAS NO ODRE

No capítulo anterior, constatamos que um dia, no aguardado e glorioso desfecho da obra de redenção que se dará com a vinda de Cristo, Deus enxugará dos olhos toda lágrima. Será o fim do choro, ou seja, da tristeza e da dor que produzem as lágrimas. Isso é fantástico! Mas tal promessa tem cumprimento *futuro*, e a pergunta a ser feita é: E agora? Como o Pai celeste lida com as nossas lágrimas no *presente*?

Um salmo de Davi, que se mostra muito revelador a esse respeito, diz o seguinte: "Contaste os meus passos quando sofri perseguições. *Recolhe as minhas lágrimas no teu odre*; não estão elas inscritas no teu livro?" (Sl 56.8).

O que significa o ato divino aqui mencionado, o de guardar *lágrimas em um odre*? Que essa porção das Escrituras reflete uma verdade espiritual é inegável. Mas o que, afinal, ela quer dizer?

Antes, porém, de responder a essa indagação e expor minha perspectiva sobre a passagem, acredito ser necessário estabelecer dois fundamentos. O primeiro diz respeito ao entendimento da mensagem do salmo; ele repousa no contexto da declaração de Davi. E o segundo fundamento está relacionado com a compreensão da dinâmica da interação divina com as lágrimas humanas. Passemos, então, a essa análise.

Entendendo o salmo

O *contexto* do salmo 56 é de aflição. O subtítulo, inserção posterior que não consta na composição original, apresenta o salmo como um hino de Davi, à época em que os filisteus o prenderam em Gate, cidade filisteia. Como não há registro bíblico específico dessa prisão (lembremos que as Escrituras não documentam *todos* os detalhes da vida de Davi), supõe-se que seja uma alusão ao episódio em que, fugindo de Saul, o jovem guerreiro buscou abrigo junto a Áquis, rei de Gate. Reconhecido pelos embates que tivera contra os filisteus, e receoso por sua vida, Davi se fingiu de louco (1Sm 21.10-15).

A verdade é que também não há detalhes, na narrativa bíblica, do que aconteceu em Gate. Sabemos apenas que, posteriormente, "Davi saiu daquele lugar e se refugiou na caverna de Adulão" (1Sm 22.1). O subtítulo do salmo 34, também associado à ocasião em que Davi simulou insanidade, menciona que ele foi "expulso" de entre os filisteus; tal afirmação, embora elimine o aspecto de uma *fuga*, não descarta a possibilidade de uma prisão temporária. Em todo caso, estando os eventos relacionados ou não, o futuro rei de Israel encontrava-se preso por seus inimigos quando compôs o salmo.

Os versículos 1 a 4 apontam para os intentos do adversário contra o salmista, mas também destacam a confiança que ele depositava em Deus:

Tem misericórdia de mim, ó Deus,
    porque os homens *querem me destruir*;
    todo o dia eles me oprimem e lutam contra mim.
Os meus inimigos sempre querem me destruir;
    são muitos os que atrevidamente me combatem.

Quando eu ficar com medo,
    hei de confiar em ti.

Em Deus, cuja palavra eu exalto,
> neste Deus ponho a minha confiança e nada temerei.

Os versículos 5 a 7, por sua vez, reforçam o conceito de perseguição como parte das aflições:

Todo o dia torcem as minhas palavras;
> os seus pensamentos são todos *contra mim para o mal*.

Ajuntam-se, escondem-se, espionam os meus passos,
> como aguardando a hora de me tirarem a vida.

Dá-lhes a retribuição segundo a sua iniquidade.
> Derruba os povos, ó Deus, na tua ira!

Somente depois dessas declarações é que o salmista menciona as lágrimas no odre.

Assim também, os versículos 9 a 13, posteriores a tal menção, voltam a apresentar um contraste entre os intentos dos perseguidores de Davi e sua confiança em Deus:

No dia em que eu te invocar,
> os meus inimigos baterão em retirada.

Uma coisa eu sei: que *Deus é por mim*.
> Em Deus, cuja palavra eu louvo,

no Senhor, cuja palavra eu louvo,
> neste Deus ponho a minha confiança e nada temerei.

Que me pode fazer um simples ser humano?

Os votos que fiz, eu os manterei, ó Deus;
> trarei as ofertas de ações de graças.

Pois da morte livraste a minha alma,
> sim, livraste da queda os meus pés,

para que eu ande na presença de Deus, na luz da vida.

O salmo, portanto, retrata a realidade das aflições, das dores e das lágrimas, sem omitir a importância da confiança que devemos ter em Deus, que se importa conosco. Nenhum detalhe de nossa vida escapa à onisciência divina. Jesus declarou que "até os cabelos" da nossa cabeça "estão todos contados" (Mt 10.30). Isso não implica que haja, literalmente, um processo de contagem dos fios de cabelo. O Deus onisciente simplesmente sabe. Assim, quando Davi declara: "Contaste os meus passos quando sofri perseguições", não significa que, necessariamente, haja um *contador* de passos; trata-se de um indicativo de que nada passa desapercebido aos olhos do Altíssimo. Assim também é com a menção da inscrição do registro das lágrimas num livro; é uma forma de referir-se à longa peregrinação que havia sido imposta ao jovem Davi.

Compreendido o contexto do salmo 56, primeiro fundamento necessário para a reflexão da declaração que nos propomos avaliar, o próximo ponto tem a ver com a compreensão da interação divina com as lágrimas humanas. Como Deus lida com nossas lágrimas?

Já demonstramos, no capítulo anterior, que no futuro elas serão definitivamente enxugadas de nossos olhos (Ap 7.17). Tal expressão não sinaliza a mera remoção do aspecto fisiológico que envolve o choro; antes, ela realça a realidade de que, na consumação da obra redentora, não haverá mais motivos para chorar. Como dito anteriormente, abordaremos com mais ênfase esse extraordinário desfecho divino ao final do livro. Todavia, é inegável que, por enquanto, no tempo presente, nossas lágrimas não foram extintas.

Não se trata, porém, de uma má notícia. Se é verdade que ainda choramos, também é fato que Deus tem uma dinâmica específica de intervenção no choro da humanidade. Ou seja, até que as lágrimas sejam permanentemente extintas, há uma provisão divina, sobrenatural, de consolação para a humanidade.

Foi quando retratava esse fato que Davi apresentou a questão em discussão: "Contaste os meus passos quando sofri perseguições. *Recolhe as minhas lágrimas no teu odre*; não estão elas inscritas no teu livro?" (Sl 56.8).

Então o que significa, afinal, Deus recolher nossas lágrimas em um odre?

Entendendo o odre de Deus

No original hebraico, a palavra traduzida por odre é *no'd* e refere-se a uma espécie de cantil feito com couro de animais, usado sobretudo para armazenar líquidos. A Bíblia menciona seu uso com água (Gn 21.14) e com leite (Jz 4.19), embora a maior incidência seja com vinho (Js 9.4; 1Sm 16.20; 1Sm 25.18). O próprio Jesus relacionou o uso do odre com o vinho (Mc 2.22). A água poderia ser guardada em diversos recipientes: talhas de pedra, vasos de barro, jarras de madeira, etc. Porém, devido ao processo de fermentação natural pelo qual o suco de uva passa a fim de que se transforme em vinho, esse tipo de armazenamento na bolsa de couro tornou-se comum.

No livro de Jó, considerado pelos estudiosos o mais antigo da Bíblia, lemos: "Eis que dentro de mim sou como o vinho, sem respiradouro, como *odres* novos, prestes a *arrebentar*" (Jó 32.19). A menção de que o odre poderia arrebentar — também mencionada por Jesus — provém do fato de que, no processo de fermentação, aquela bolsa inflava com a pressão resultante da mudança ocorrida no suco da vide.

A fermentação natural é um processo curioso. O termo descreve o processo em que "um líquido que contém açúcar natural, após um período de tempo, passa a desprender espontaneamente borbulhas de gás, remetendo à água quando está fervendo", processo esse causado por "microrganismos de origem vegetal classificados como *Saccharomyces cerevisiae*, popularmente chamados de levedura. Elas estão presentes nas cascas das uvas, mas também podem ser adicionadas pelo enólogo".[4]

Portanto, podemos concluir que o odre não era apenas uma bolsa de couro, destinada ao armazenamento de líquidos, mas, no contexto do vinho, podemos dizer que era um ambiente de *transformação*.

Há muitos anos, um colega pastor mencionou em uma conversa informal uma explicação interessante sobre Salmos 56.8 que ele tinha ouvido de um pastor norte-americano. Até hoje não sei quem era o pregador referido e lamento não poder dar o devido crédito à fonte. De todo modo, aquela conversa permaneceu em minha mente ao longo dos anos e, mesmo sem ter certeza da precisão das palavras empregadas na ocasião, eu reproduzo aquela explanação entre a relação da figura do odre com as lágrimas da seguinte maneira:

O que é o vinho?

É o líquido resultante do esmagar das uvas, assim como as lágrimas são resultado do "esmagar" das aflições em nossa vida.

O que acontece no odre?

O suco da uva fermenta e se transforma em vinho, figura bíblica relacionada com a alegria (Sl 104.15).

O mesmo se dá com as nossas lágrimas no odre de Deus; elas não são meramente armazenadas como um estoque de lágrimas (que não nos seria proveitoso). A intervenção divina faz que a tristeza se transforme em alegria!

Ainda que não se possa comprovar, biblicamente, que era exatamente essa a mensagem intencionada pelo salmista ao usar a figura do odre com lágrimas, podemos considerar que: 1) está alinhada ao contexto do salmo; e 2) harmoniza-se com o restante do ensino bíblico sobre o assunto. Não se trata, portanto, de mera inferência da passagem, mas de uma verdade embasada nas Escrituras como um todo e que procurei demonstrar não apenas neste capítulo, mas ao longo de todo o livro: Deus transforma a tristeza em alegria!

Minha proposta, então, é que reconheçamos que esta é, no mínimo, uma boa ilustração para exemplificar o que Deus tem prometido fazer com as lágrimas dos que nele confiam. Acredito que as Escrituras sustentam, em seu ensino, o resultado final da figura proposta. Consideremos, então, algumas das passagens bíblicas que abordam o assunto.

Tristeza em alegria

O livro de Ester, no Antigo Testamento, nos revela um estratagema dos inimigos do povo judeu para fazer que, num só dia, fossem exterminados todos os judeus no império medo-persa. Todavia, revela também o livramento divino, ainda que no livro o nome de Deus não seja mencionado uma só vez.

Então, uma vez dissipada a ameaça, uma festa anual foi estabelecida para recordar o ocorrido.

> Mordecai escreveu estas coisas e enviou cartas a todos os judeus que moravam em todas as províncias do rei Assuero, aos de perto e aos de longe, ordenando-lhes que comemorassem o dia catorze do mês de adar e o dia quinze do mesmo mês, todos os anos, como os dias em que os judeus se livraram dos seus inimigos, o mês em que *a tristeza virou alegria* e *o luto se transformou em festa*. E que esses fossem dias de festa e de alegria, de troca de presentes e dádivas aos pobres.
>
> Ester 9.20-22

Já o profeta Jeremias, muito embora tenha passado a maior parte de seu ministério advertindo do juízo de Deus a uma geração impenitente, anunciou a seus compatriotas uma restauração vindoura:

> Escutem a palavra do SENHOR, ó nações,
>   e anunciem isto nas terras distantes do mar.
> Digam: 'Aquele que espalhou Israel o congregará e o guardará,
>   como um pastor faz com o seu rebanho.'
> Porque o SENHOR redimiu Jacó
>   e o livrou das mãos do que era mais forte do que ele.
> Hão de vir e exultar no monte Sião,
>   *radiantes de alegria* por causa dos bens que o SENHOR lhes deu:
>   o cereal, o vinho, o azeite, os cordeiros e os bezerros.

> Serão como um jardim regado,
>> e *nunca mais desfalecerão*.
>
> Jeremias 31.10-12

E, logo depois de transmitir essas boas-novas, o profeta também comunicou, da parte do Senhor, o *efeito* que a intervenção divina produziria em seu povo:

> Então a virgem se alegrará na dança,
>> juntamente com os jovens e os velhos.
>
> *Transformarei o seu pranto em júbilo* e os consolarei;
>> eu lhes *darei alegria em vez de tristeza*.
>
> Jeremias 31.13

"*Transformarei* o seu pranto em júbilo": não se trata de mera troca, e sim de uma transformação. Da mesma forma que no exemplo do odre o suco de uva não era substituído mas transformava-se em vinho, assim é com a ação divina: a tristeza é transformada em alegria!

Apresentei dois exemplos; um retrata uma intervenção já ocorrida e o outro uma por acontecer. Ambos, contudo, falam dessa mesma ação divina tipificada na alegoria das lágrimas no odre.

Outro aspecto a se considerar no entendimento do padrão divino de socorro ao ser humano é o poder consolador do evangelho. Desde as promessas de um Messias, registradas no Antigo Testamento, até a vinda do Cristo, registrada no Novo Testamento, a ênfase é a mesma. O profeta Isaías, pelo Espírito de Deus, predisse:

> O Espírito do SENHOR Deus está sobre mim,
>> porque o SENHOR me ungiu para pregar boas-novas aos pobres,
>
> enviou-me a *curar os quebrantados de coração*,
>> a proclamar libertação aos cativos
>
> e a pôr em liberdade os algemados,
>> a apregoar o ano aceitável do SENHOR
>
> e o dia da vingança do nosso Deus,
>> a *consolar todos os que choram*

e a pôr sobre os que choram em Sião uma coroa em vez de cinzas,
óleo de alegria em vez de pranto,
manto de louvor em vez de espírito angustiado.

Isaías 61.1-3

O Senhor Jesus, logo depois de jejuar durante quarenta dias no deserto e sofrer a tentação do inimigo, dirigiu-se a Nazaré, onde foi criado. Ali, na sinagoga, depois da leitura dessa porção do livro de Isaías, reivindicou o cumprimento da profecia à obra que ele veio realizar (Lc 4.17-21). E, pouco tempo depois disso, afirmou: "Bem-aventurados os que choram, porque serão consolados" (Mt 5.4). É evidente a proposta do evangelho de oferecer consolação às pessoas. Até que venha, portanto, o dia de fazer cessar o choro, haverá uma provisão divina para se vencer a tristeza e a dor. Essa é a expressa vontade de Deus, e essa dimensão sobrenatural de conforto encontra-se disponível a todos.

Tratando especificamente de sua morte e ressurreição, nosso Senhor também empregou terminologia semelhante:

Em verdade, em verdade lhes digo que vocês vão chorar e se lamentar, mas o mundo se alegrará. Vocês ficarão tristes, mas *a tristeza de vocês se transformará em alegria.* A mulher, quando está para dar à luz, fica triste, porque chegou a sua hora; mas, depois de nascida a criança, já não se lembra da aflição, pela alegria de ter trazido alguém ao mundo. Assim também *agora vocês estão tristes.* Mas eu os verei outra vez, *e o coração de vocês ficará cheio de alegria,* e ninguém poderá tirar essa alegria de vocês.

João 16.20-22

Fica evidente, mais uma vez, a vontade revelada do Criador de intervir em nossas dores e tristezas. A certeza que Davi, em meio às aflições, carregava em seu íntimo é a mesmo que você e eu também podemos carregar: Deus recolhe nossas lágrimas no seu odre. Deus não muda (Ml 1.6)! Se o Eterno consolava na antiga aliança, antes de Cristo, o que esperar agora, em uma "superior aliança instituída com base em superiores promessas" (Hb 8.6)?

Entretanto, há vários aspectos deste assunto que precisam ser analisados com atenção. Nos próximos capítulos apresentarei outras peças desse "quebra-cabeça".

3

DOIS TIPOS DE MUDANÇA

Como Deus transforma a tristeza em alegria? Analisando o que a Palavra diz a esse respeito, cheguei à conclusão de que, basicamente, Deus efetua dois tipos diferentes de *mudança*. Já adianto que a ordem em que as apresentarei não reflete uma escala de valores nem uma ordem cronológica.

O Altíssimo, especialista supremo em transformar a tristeza em alegria, pode, a partir de nossa confiança e dependência nele, intervir de formas distintas: ou em nossas *circunstâncias* ou em nossa *condição interior*. Em outras palavras, a mudança pode se dar do *lado de fora* ou do *lado de dentro*: ou o Senhor muda aquilo que enfrentamos ou ele nos muda.

É verdade que há momentos em que Deus operará em determinada circunstância que nos entristece e, ao convertê-la em algo favorável, mudará também, e consequentemente, o nosso sentimento — que reage àquilo que enfrentamos. Essa experiência pode ser observada na vida de pessoas que provaram a intervenção divina nas circunstâncias em que se encontravam e, assim, deixaram de chorar: "Ó minha alma, volte ao seu sossego, pois o Senhor tem sido bom para você. Pois livraste da morte a minha alma, *das lágrimas, os meus olhos*, da queda, os meus pés" (Sl 116.7-8).

Em contrapartida, nem sempre veremos o Senhor mudando *as circunstâncias* que nos rodeiam; há momentos em que ele mudará *os sentimentos* a despeito das circunstâncias, e não por causa delas.

A alegria do cristão não deve se concentrar meramente na mudança das circunstâncias. Às vezes Deus muda aquilo que enfrentamos e, assim, nos alegra. Às vezes ele nos alegra para, então, enfrentarmos aquilo que não foi mudado. As Escrituras nos revelam esses dois níveis de intervenção — *exterior* e *interior* —, e é necessário entender a importância de ambos.

Mudança exterior

Quando o Senhor comissionou Moisés a libertar os israelitas do jugo do faraó, demonstrou, mais uma vez, que se importa com o sofrimento de seu povo: "Eu também *ouvi os gemidos* dos filhos de Israel, os quais os egípcios escravizam, e me lembrei da minha aliança"(Êx 6.5). Descrição semelhante encontramos no livro de Juízes, quando outra geração, que não viveu a escravidão do Egito, passou a ser oprimida pelos cananeus: "Quando o Senhor lhes suscitava juízes, o Senhor estava com o juiz e os livrava das mãos dos seus inimigos, todos os dias daquele juiz; porque *o Senhor se compadecia deles ante os seus gemidos*, por causa dos que os afligiam e oprimiam"(Jz 2.18).

Os gemidos, assim como as lágrimas, são um indicativo de sofrimento e dor interiores. Davi fez uso dessa linguagem: "Estou aflito e mui quebrantado; dou *gemidos* por causa do *desassossego* do meu coração" (Sl 38.8).

O Eterno é um interventor por excelência, e quer que reconheçamos isso. Ele não só socorreu essas gerações distintas de israelitas, atendendo a seus gemidos, como ainda fez questão de que soubéssemos o que ele fez. Qual o propósito de nos comunicar seus feitos?

No meu modo de ver, trata-se de mais que mera informação; tais relatos nos inspiram, nos instigam a depositar nele nossa confiança, nos despertam para a fé.

O choro, além de externar a tristeza e a dor, é também uma maneira de reconhecer, diante de Deus, nossa incapacidade. É o que constataremos ao nos debruçarmos nas três narrativas bíblicas expostas a seguir.

O milagre de Ana

A história de Samuel, profeta e também o último juiz em Israel, é narrada a partir do sofrimento de Ana, sua mãe, que era até então incapaz de ter filhos. Essa mulher escolheu ir à presença de Deus e derramar seu coração: "Ana, com *amargura de alma*, orou ao Senhor e *chorou muito*" (1Sm 1.10).

A expressão "amargura de alma" associada a "chorou muito" comunica o estado de dor emocional que Ana vivenciava. Não poder ter filhos já feria o suficiente seus instintos e anseios maternos, mas, naquele tempo, havia um forte fardo cultural sobre as costas das mulheres estéreis; some-se a isso um outro elemento que a Escritura fez questão de informar:

> No dia em que Elcana oferecia o seu sacrifício, ele dava porções deste a Penina, sua mulher, e a todos os seus filhos e filhas. A Ana, porém, dava uma porção dobrada, porque ele a amava, mesmo que o Senhor a tivesse deixado estéril. Penina, *sua rival, a provocava excessivamente para a irritar*, porque o Senhor a tinha deixado sem filhos. Isso acontecia ano após ano. Todas as vezes que Ana ia à Casa do Senhor, a outra a irritava. *Por isso Ana se punha a chorar* e não comia nada.
>
> 1Samuel 1.4-7

O choro de Ana não indica aqui uma resignação com a circunstância que o provoca. Aliás, há muitos casos em que as lágrimas precedem um milagre divino. No caso de Ana não foi diferente; o curso da vida dela — e da própria nação — seria mudado em razão de sua postura de fé e oração. Ela não chorou apenas no sentido de desafogo, pois sua busca era por mais que alívio emocional; além de externar sua incapacidade de mudar as circunstâncias, seu choro também indicava dependência na capacidade divina. Ela clamou ao Deus que poderia mudar sua condição, dizendo:

— Senhor dos Exércitos, se de fato *olhares para a aflição da tua serva*, e te lembrares de mim, e não te esqueceres da tua serva, e lhe deres um filho homem, eu o dedicarei ao Senhor por todos os dias da sua vida, e sobre a cabeça dele não passará navalha.

Ana *continuava a orar diante do Senhor*, e o sacerdote Eli começou a observar o movimento dos lábios dela, porque Ana só falava em seu coração. Os seus lábios se moviam, porém não se ouvia voz nenhuma. Por isso Eli pensou que ela estava embriagada e lhe disse:

— Até quando você vai ficar embriagada? Trate de ficar longe do vinho!

Porém Ana respondeu:

— Não, meu senhor! Eu sou uma mulher *angustiada de espírito*. Não bebi vinho nem bebida forte. Apenas estava *derramando a minha alma diante do Senhor*. Não pense que esta sua serva é ímpia. Eu estava *orando* assim até agora porque *é grande a minha ansiedade e a minha aflição*.

Então Eli disse:

— Vá em paz, e que o Deus de Israel lhe conceda o que você pediu.

Ana respondeu:

— Que eu possa encontrar favor aos seus olhos.

Então ela seguiu o seu caminho, comeu alguma coisa, *e o seu semblante já não era triste*.

1Samuel 1.11-18

Destaquei no texto bíblico, além da ênfase na oração, as palavras que indicavam o estado emocional de Ana durante seu clamor e também depois dele. Observe expressões como "aflição", "angustiada de espírito", "grande ansiedade"; todas elas refletem a tristeza no íntimo de uma mulher que, a despeito da tristeza e da dor, não se conformou em permanecer naquela condição. Ela creu, orou e buscou o Senhor. E o interessante é que, ao sair do ambiente de oração, algo já havia mudado dentro dela, antes mesmo que ocorresse a mudança das circunstâncias: "o seu semblante já não era triste". E a intervenção veio:

> Eles se levantaram de madrugada e adoraram diante do SENHOR. Depois, voltaram para casa, em Ramá. Elcana teve relações com Ana, sua mulher, e *o SENHOR se lembrou dela*. Ana *ficou grávida* e, passado o devido tempo, *teve um filho*, a quem deu o nome de Samuel, pois dizia:
> — Do SENHOR o pedi.
>
> 1Samuel 1.19-20

O resultado da intervenção divina, por mais óbvio que pareça, tornou-se mais que um simples registro nos documentos históricos dos hebreus: foi incorporado às Escrituras. "Então Ana orou assim: O meu coração *exulta* no SENHOR. A minha força está exaltada no SENHOR. A minha boca se ri dos meus inimigos, porque *me alegro* na tua salvação" (1Sm 2.1).

O choro transformou-se em alegria por causa da ação do Deus que é grande e poderoso para mudar qualquer circunstância e, ao mesmo tempo, bondoso e misericordioso para ouvir e atender as nossas orações. É assim que o Todo-Poderoso se apresenta, recorrentemente, nas páginas da Bíblia.

O socorro a Davi

Na época em que fugia de Saul, Davi tinha consigo a companhia de centenas de homens que se uniram a ele em seu refúgio na caverna de Adulão (1Sm 22.1), logo após o episódio em que Davi se fingiu de louco diante de Áquis, rei de Gate, terra dos filisteus. O futuro rei de Israel sabia que, militarmente falando, não era capaz de fazer frente ao exército de seu sogro, Saul, que estava determinado a caçá-lo e matá-lo. Davi se tornara um herói nacional não apenas por ter vencido Golias, mas também pelas inúmeras vitórias que obteve contra os filisteus. Ele sabia que seu prestígio soava ainda mais ameaçador à insegurança de Saul, a quem o Senhor já havia comunicado a mudança no reinado de Israel.

Assim, mesmo sendo inimigo dos filisteus, Davi não ignorava que Saul se tornara um inimigo ainda pior, e isso exigia medidas drásticas em suas estratégias de sobrevivência. Por isso, decidiu procurar abrigo junto a Áquis, diante de quem antes havia se feito de doido; foi acompanhado de seus seiscentos homens, e todos receberam acolhida em Gate. Isso fez que Saul desistisse de persegui-lo, uma vez que seu povo precisaria guerrear contra um exército, e não apenas contra um desertor e seu bando (1Sm 27.1-3). Davi solicitou ao rei que pudesse morar no interior, em vez de na cidade real, e Áquis permitiu que ele se estabelecesse em Ziclague, onde morou com seus homens por um ano e quatro meses (1Sm 27.5-7).

Em dado momento, os reis dos filisteus se uniram para guerrear contra Israel. Enquanto os governantes dos filisteus se dirigiam à guerra, Davi e seus homens acompanhavam Áquis, na retaguarda. Os outros reis dos filisteus, porém, rejeitaram a presença de Davi, seu antigo adversário, na guerra. Isso fez que ele e seus homens retornassem à Ziclague (1Sm 29.1-11). Foi nesse retorno que Davi descobriria uma das maiores angústias que já havia experimentado.

> Aconteceu que, ao terceiro dia, quando Davi e os seus homens chegaram a Ziclague, os amalequitas já tinham invadido o Sul e a cidade de Ziclague. Tomaram Ziclague e a incendiaram. Levaram cativas as mulheres que lá estavam, mas não mataram ninguém, nem pequenos nem grandes; tão somente os levaram consigo e foram embora. Davi e os seus homens chegaram à cidade, e viram que tinha sido queimada, e que as suas mulheres, os seus filhos e as suas filhas haviam sido

levados cativos. Então Davi e o povo que estava com ele *ergueram a voz e choraram, até não terem mais forças para chorar*.

1Samuel 30.1-4

Súbito, Davi e seus homens, além do exílio que já lhes era penoso, sofreram um dano sem precedentes. Encontraram Ziclague destruída, queimada. E, pior que o prejuízo da cidade devastada, a constatação de que suas famílias, mulheres e crianças, que ficaram ali enquanto eles se dirigiram à guerra, haviam sido levados cativos pelos invasores.

Diante de tamanha perda eles choraram. A expressão "ergueram a voz" indica um choro incontido, intenso. E há um detalhe singular no texto; diz respeito ao motivo pelo qual pararam de chorar. Não foi por terem sido consolados, mas porque já não havia neles forças para continuar chorando. É um quadro perturbador, esse de guerreiros sem força para seguir chorando; a limitação do corpo impôs uma interrupção do lamento que a alma se recusava a aceitar.

E, quando parecia impossível que a situação se agravasse, uma nova surpresa surge no cenário: "Davi ficou *muito angustiado*, pois o povo falava de apedrejá-lo, porque todos *estavam amargurados*, cada um por causa de seus filhos e suas filhas" (1Sm 30.6). Os homens de Davi, desolados com a amargura da perda, agora começam a responsabilizá-lo pela situação.

Quando Davi percebe sua vida em risco, entende que não é mais hora de seguir chorando. O jogo precisa virar. E em quem ele poderia buscar socorro, senão no Senhor dos Exércitos, a quem ele servia? Seu Deus o havia livrado do leão, do urso e do gigante Golias. Já havia demonstrado seu poder e auxílio inúmeras vezes. E a decisão que mudaria completamente aquele cenário foi tomada: "Mas Davi se *reanimou* no Senhor, seu Deus" (1Sm 30.6).

Todos temos o direito de chorar perdas e dores. Mas também temos o direito — e talvez caiba aqui a palavra *responsabilidade* — de buscar a intervenção dos céus. Então Davi, antes de qualquer decisão, consultou o Senhor:

> Davi disse a Abiatar, o sacerdote, filho de Aimeleque:
> — Traga aqui a estola sacerdotal.
> E Abiatar a trouxe a Davi. Então Davi consultou o SENHOR, dizendo:
> — Devo *perseguir* esse bando? Conseguirei *alcançá-lo*?
> O SENHOR respondeu:
> — *Persiga* o bando, porque você certamente o *alcançará* e *libertará* os cativos.
>
> 1Samuel 30.7-8

É interessante notar que Davi fez apenas duas perguntas ao Senhor. A primeira era se deveria *perseguir* os amalequitas, responsáveis pelo ataque à Ziclague. A segunda indagação visava saber se a empreitada seria bem-sucedida, se ele ainda conseguiria *alcançar* o inimigo. Da parte de Deus, entretanto, vieram três respostas: sinalização positiva para as duas perguntas, sobre perseguir e alcançar, e uma terceira resposta a uma pergunta não feita, na qual o Altíssimo garantiu a *libertação* das famílias, antecipando assim o desfecho da história, relatado em 1Samuel 30.18-19:

> Assim, Davi *salvou tudo* o que os amalequitas tinham levado. Também salvou as suas duas mulheres. *Não lhes faltou coisa alguma*, nem pequena nem grande, nem os filhos, nem as filhas, nem o despojo, nada do que lhes haviam tomado: Davi *trouxe tudo de volta*.

Davi, o "homem segundo o coração de Deus", ao final da história concluiu que o resultado da batalha se deveu unicamente ao favor divino: "*Ele* nos guardou e entregou em nossas mãos o bando que vinha contra nós" (1Sm 30.23).

Esse não foi o único episódio em que Davi chorou. Os salmos nos revelam alguns desses momentos. "Estou cansado de tanto gemer; todas as noites faço nadar o meu leito, de *minhas lágrimas* o alago.

De tristeza os meus olhos se consomem" (Sl 6.6-7). E por que esse grande guerreiro, de incontestável virilidade, fazia questão de registrar suas lágrimas? Porque ele sabia que o Eterno não é insensível ao nosso choro: "Ouve, Senhor, a minha oração, escuta-me quando grito por socorro. Não fiques *insensível às minhas lágrimas*" (Sl 39.12). Dessa forma, o salmista inspirava outros a também orar e chorar perante Deus, buscando suas ações e intervenções.

A cura de Ezequias

Um terceiro exemplo de mudanças exteriores, provocada pela resposta divina às lágrimas e à fé, é o do rei Ezequias.

> Por esse tempo, Ezequias *adoeceu de uma enfermidade mortal.* O profeta Isaías, filho de Amoz, foi visitá-lo e lhe disse:
> — Assim diz o Senhor: "Ponha em ordem a sua casa, porque *você morrerá*; você não vai escapar."
> Então Ezequias virou o rosto para a parede e *orou ao Senhor*, dizendo:
> — Ó Senhor, lembra-te de que andei diante de ti com fidelidade, com coração íntegro, e fiz o que era reto aos teus olhos.
> E Ezequias *chorou amargamente.*
> Antes que Isaías tivesse saído do pátio central, a palavra do Senhor veio a ele, dizendo:
> — Volte e diga a Ezequias, príncipe do meu povo: Assim diz o Senhor, o Deus de Davi, seu pai: "Ouvi a sua oração e *vi as suas lágrimas.* Eis que eu *vou curá-lo* e, ao terceiro dia, você subirá à Casa do Senhor. *Acrescentarei quinze anos à sua vida* e livrarei das mãos do rei da Assíria tanto você quanto esta cidade. Defenderei esta cidade por amor de mim e por amor a Davi, meu servo."
>
> 2Reis 20.1-6

Eu amo, simplesmente amo a frase "vi as suas lágrimas". Deus poderia ter dito apenas "ouvi a sua oração", sem detalhar a questão do choro. Porém é certo que o Altíssimo deseja que saibamos que ele se importa conosco e age em nosso favor, mudando circunstâncias improváveis e até mesmo impossíveis. No caso de Ezequias, não se tratava de mero diagnóstico médico; o decreto de morte havia sido proferido pelo próprio Doador da Vida. Contudo, a resposta divina veio e Deus estendeu seu favor sobre o rei de Judá. Além da cura e do anúncio de plena recuperação em três dias, também prometeu livramento a ele e a toda a cidade.

Um retrospecto da história dos hebreus nos ajuda a entender melhor a natureza dessa segunda promessa de intervenção. Durante o reinado de Roboão, filho de Salomão, a nação se dividiu; dez tribos compuseram o reino de Israel, ou reino do norte, e outras duas (Judá e Benjamim) o reino de Judá, ou reino do sul. Nos dias de Ezequias, décimo segundo rei de Judá, Israel, a nação do norte, tinha deixado de existir após ser destruída pelos assírios. A nação do sul enfrentava ameaças do mesmo implacável e conquistador rei assírio que havia destruído Israel. Contudo, não obstante suas bravatas e seu poderio militar, Senaqueribe nada conseguiu com Jerusalém e Judá, porque o Senhor a defendeu dele e, posteriormente, o julgou (2Rs 18—19).

Agora, além da cura e dos quinze anos de vida confiados a Ezequias, o Senhor dos Exércitos sustenta, mediante promessa, seu compromisso de seguir defendendo o rei, Jerusalém e Judá. Que Deus glorioso!

Comprova-se, assim, que as lágrimas podem levar a mudanças nas circunstâncias que nos entristecem. Tal constatação deve inspirar cada cristão a buscar no Deus Altíssimo esse tipo de intervenção, uma vez que Aquele que muda as circunstâncias nunca muda (Ml 1.6) e nele "não pode existir variação ou sombra de mudança" (Tg 1.17). E meu desejo, por meio deste ensino, é inspirar e despertar a sua fé para isso. Você também pode viver histórias de intervenção semelhantes. Lembre-se que "Jesus Cristo é o mesmo ontem, hoje e para sempre" (Hb 13.8). Os milagres não cessaram, as orações e lágrimas não deixaram de ser atendidas, o poder de Deus não diminuiu, tampouco seu amor, bondade e misericórdia.

Entretanto, não poderíamos parar aqui e dar a entender que esse é o único tipo de mudança efetuada pelo nosso Pai do céu.

Mudança interior

Como afirmei no início do capítulo, às vezes Deus muda as circunstâncias e às vezes ele nos muda. Além das mudanças *exteriores*, também precisamos levar em conta as mudanças *interiores*. Alguns exemplos bíblicos lançam luz sobre esse segundo tipo de mudança que Deus pode realizar em nossa vida.

Jesus e a experiência do Getsêmani

Um exemplo de mudança interior, do lado de dentro, encontra-se em um registro sobre a vida de Cristo. Algumas pessoas se enganam afirmando que há um único texto na Bíblia que aponta que "Jesus chorou" (Jo 11.35); na verdade, existem outras passagens, como quando Jesus chora por Jerusalém (Lc 19.41). O livro de Hebreus também registra isso, quando remete ao episódio ocorrido no Getsêmani, e destaca que houve oração com lágrimas:

> Ele, Jesus, nos dias da sua carne, tendo oferecido, com *forte clamor e lágrimas, orações e súplicas* a quem o podia livrar da morte e tendo sido ouvido por causa da sua piedade, embora sendo Filho, aprendeu a obediência pelas coisas que sofreu e, tendo sido aperfeiçoado, tornou-se o Autor da salvação eterna para todos os que lhe obedecem.
>
> Hebreus 5.7-9

Mateus registra que nosso Senhor, enquanto orava no jardim, "começou a sentir-se tomado de tristeza e de angústia" (Mt 26.37). Marcos também informa que Cristo "começou a sentir-se tomado de pavor e de angústia" (Mc 14.33). Lucas faz menção de uma agonia tamanha que Jesus começou a suar gotas de sangue e precisou ser confortado por um anjo (Lc 22.43-44). Todavia, embora descrevam tristeza, nenhum evangelista menciona as lágrimas. Já o autor da epístola aos cristãos hebreus comunica que, ao orar, Jesus ofereceu, "com forte clamor e *lágrimas*, orações e súplicas a quem o podia livrar da morte".

O que me chama a atenção nesse texto é a clara afirmação de que a oração de Jesus não foi ignorada. A Bíblia destaca que ele foi "ouvido por causa da sua piedade". Entretanto, apesar de ter sido ouvido, sua súplica pela mudança das circunstâncias não aconteceu. O clamor "Meu Pai, se é possível, que passe de mim este cálice!" (Mt 26.39) não foi atendido. Jesus, naquele momento, orava como homem, não como Deus. Diante da agonia da cruz ele suplica por uma espécie de "plano B" que o isentasse do sofrimento imensurável que o aguardava. Porém, outro aspecto da sua súplica foi ouvido. No mesmo versículo em que ele aparece clamando para que aquele cálice de sofrimento passasse, também o vemos orando: "Contudo, não seja como eu quero, e sim como tu queres". O plano não foi alterado, nem as circunstâncias que levaram o Mestre a clamar por mudanças.

A única mudança registrada nesse texto é *interior*. E isso nos é apresentado com dois enfoques distintos. Primeiro, lemos que Cristo, "embora sendo Filho, aprendeu a obediência pelas coisas que sofreu" (Hb 5.8). Mesmo sem nunca ter pecado — que é, por definição, desobediência (1Jo 3.4) — nosso Senhor aprendeu a obediência em meio ao sofrimento. Não raro, desprezamos o poder didático das dificuldades.

O segundo enfoque é percebido na expressão "tendo sido aperfeiçoado, tornou-se o Autor da salvação eterna para todos os que lhe obedecem" (Hb 5.9). A maioria dos crentes, por não se atentar para a *humanidade* de Jesus, acaba por não se atentar para o seu *aperfeiçoamento*. Mas é fato que ele precisou desse processo. O que me faz acreditar que nós também necessitamos de aperfeiçoamento e dos processos que cooperam para este seja alcançado por cada cristão. Muito mais do que Cristo necessitou!

Pedro e a peneira de Satanás

Outro episódio bíblico que auxilia nosso entendimento sobre as mudanças interiores ocorreu com o apóstolo Pedro. Depois de uma discussão entre os discípulos para saber qual deles seria o mais importante, Jesus os corrigiu advertindo-os da necessidade de servirem uns aos outros. Então, dirigiu-se a Pedro (Simão), dizendo:

> — Simão, Simão, eis que *Satanás pediu para peneirar vocês* como trigo! Eu, porém, *orei por você*, para que a *sua fé não desfaleça*. E você, quando voltar para mim, *fortaleça os seus irmãos*.
>
> Lucas 22.31-32

Com certeza esse não é o tipo de conversa que gostaríamos de ter mantido com Jesus. O Mestre estava informando o apóstolo de uma solicitação diabólica por permissão para dar "uma prensa" nos discípulos de Cristo e ver o que é que sobraria. Estou parafraseando o que foi dito, pois o significado de *peneirar* é o seguinte: se o grão for graúdo ele ficará na peneira; se não for, ele sairá do outro lado.

Imagino que Pedro provavelmente esperava (e, certamente, se acontecesse conosco também seria o que esperaríamos) que Jesus respondesse um sonoro "não" ao diabo e o mandasse embora. Contudo, não foi o que aconteceu. Cristo alertou Pedro de que, por razões que o discípulo não entendia naquele momento, permitiu que o diabo "fosse com tudo para cima deles". Entretanto, ao afirmar que orou por Pedro, para que sua fé não desfalecesse, nosso Senhor, em outras palavras, estava dizendo: "A permissão da peneira não significa abandono; você não está sozinho nem por conta própria".

O pedido que nós nos imaginamos fazendo para que Deus mudasse aquela circunstância não teve sequer espaço para ser expresso. Jesus já garantiu, desde o início da conversa, que o plano não era mudar o que Pedro enfrentaria. A ideia era mudar Pedro, utilizando-se do que ele enfrentaria!

O modo como Cristo encerrou o assunto revela qual era a sua expectativa para o desfecho daquela história: "E quando você *se converter*, fortaleça os seus irmãos" (NVI). Em outras palavras, Jesus estava dizendo que aquela prova tocaria o coração de Pedro de uma maneira tão profunda que ele se converteria e mudaria radicalmente.

No final das contas, o benefício não seria somente do apóstolo, mas transbordaria aos seus irmãos, os demais discípulos de nosso Senhor.

Quando os dois tipos de mudança são experimentados

Permita-me recapitular. Observamos que a intervenção divina pode acontecer do lado de fora ou do lado de dentro. Demonstrei que às vezes Deus muda as circunstâncias de modo que aquilo que nos entristecia passa a nos dar alegria. Mas também apresentei o caminho alternativo: às vezes Deus nos muda e nos capacita a nos alegrarmos a despeito das circunstâncias.

Todavia, não precisa ser apenas um ou outro. Há situações em que podemos experimentar os dois tipos de mudança, alternadamente. Já vivenciei, em minha história pessoal, momentos em que o Senhor parecia ter mudado apenas a mim; alegrei-me, apesar de uma situação não alterada do lado de fora. Posteriormente, presenciei a intervenção divina mudando aquela circunstância em que eu não vira a mudança acontecer; eu já tinha me dado por satisfeito com a mudança interior e não contava mais com a mudança exterior, nem dependia dela para me alegrar. Em contrapartida, já vivenciei situações em que Deus havia mudado as circunstâncias do lado de fora e, ainda assim, com o tempo guiou-me às mudanças de que eu necessitava do lado de dentro.

Penso que essa mudança dupla, tanto interior quanto exterior, também possa ser constatada na afirmação paulina de que, em Cristo, nós somos *"mais que vencedores"* (Rm 8.37). Alguns imaginam que "vencedor" é o que está em determinado nível, e o mais que vencedor é o que se encontra em um patamar ainda mais elevado. Não creio, contudo, que seja essa a ênfase bíblica. Penso que vencedor já é o nível máximo; logo, a definição "mais que vencedores" indicaria que, ao final do processo, além de vencedores em relação às adversidades, seremos algo mais. E esse algo mais será justamente o aperfeiçoamento divino que pode ser vivenciado no meio daquilo que enfrentamos. Abordo essa questão mais detalhadamente no meu livro *O agir invisível de Deus*.[5]

Agora, quero encerrar este capítulo com mais um impressionante exemplo bíblico de uma dupla mudança.

Amarras queimadas

Hananias, Misael e Azarias, a quem o rei da Babilônia denominou Sadraque, Mesaque e Abede-Nego, eram os três amigos do profeta Daniel e homens fiéis ao Senhor. É seguro dizer que haviam sido ensinados, na Lei de Moisés, a adorarem somente a Deus, e nunca a ídolos. E, por sua fidelidade, enfrentaram uma duríssima provação. Aqueles três heróis da fé decidiram permanecer obedientes a Deus, ainda que isso lhes custasse a própria vida.

A história é narrada no capítulo 3 de Daniel. Uma vez que se recusaram a prostrar-se perante uma estátua levantada pelo temido Nabucodonosor, os três amigos acabaram lançados em uma fornalha. Todavia, saíram vivos, sem que um só fio de cabelo fosse chamuscado e sem que suas vestes tivessem cheiro de fumaça. Como posteriormente registrado em Hebreus, esses homens, pela fé, apagaram não o fogo, mas "a força do fogo" (Hb 11.34). O fogo não pôde fazer nada contra eles, nem queimar nada que lhes pertencia, com exceção de uma única coisa: as amarras que os prendiam.

Em seguida, o rei Nabucodonosor, muito espantado, se levantou depressa e perguntou aos seus conselheiros:

— Não eram três os homens que *amarramos* e jogamos no fogo?

Eles responderam:

— É verdade, ó rei.

Mas o rei disse:

— Eu, porém, estou vendo quatro homens *soltos*, andando no meio do fogo! Não sofreram nenhum dano! E o aspecto do quarto é semelhante a um filho dos deuses.

Daniel 3.24-25

Até o momento em que foram lançados no fogo, os três servos de Deus estavam *amarrados*; logo depois, porém, constatou-se que se achavam *soltos*, pois a única coisa que o fogo teve poder de queimar foram suas amarras. Semelhantemente, quando Deus permite que passemos por provas de fogo (1Pe 1.7), o máximo que ele permite ser destruído pelo fogo são as amarras daquelas áreas de nossa vida que necessitam ser queimadas. Ou seja, o Senhor gerencia nossas provações para fazer que cresçamos em meio às adversidades.

Sadraque, Mesaque e Abede-Nego viram *mudança exterior*; acabaram por sair da fornalha e ainda foram exaltados na Babilônia. Não, porém, sem antes experimentar, simbolicamente, a *mudança interior* disponível no tratamento que Deus dispensa a nós.

Espere pelas mudanças produzidas por Deus; não importa que forma elas assumam, creia que as mudanças se manifestarão conforme a boa vontade do Senhor!

4

O TEMPO DE CHORAR

Até que venha o grande desfecho da obra redentora de Cristo, quando as lágrimas serão enxugadas dos nossos olhos, é fato que teremos de lidar com a dor e o sofrimento. Porém, embora saibamos que o choro fará parte de nossa vida, não significa que devamos *viver chorando*. De modo algum!

A vida é *cíclica*. Abrange tanto períodos bons como ruins, tanto alegrias como tristezas. O rei Salomão ocupou-se em avaliar, nos livro de Eclesiastes, as *repetições* da vida, e em meio a outras tantas afirmações impactantes, apresentou o belíssimo quadro a seguir:

Tudo tem o seu tempo determinado,
    e *há tempo para todo propósito* debaixo do céu:
há tempo de nascer e tempo de morrer;
    tempo de plantar e tempo de arrancar o que se plantou;
tempo de matar e tempo de curar;
    tempo de derrubar e tempo de construir;
tempo de chorar e tempo de rir;
    tempo de prantear e tempo de saltar de alegria;
tempo de espalhar pedras e tempo de ajuntar pedras;
    tempo de abraçar e tempo de deixar de abraçar;

tempo de procurar e tempo de perder;
tempo de guardar e tempo de jogar fora;
tempo de rasgar e tempo de costurar;
tempo de ficar calado e tempo de falar;
tempo de amar e tempo de odiar;
tempo de guerra e tempo de paz.

Eclesiastes 3.1-8

Não se pode dizer, portanto, que a vida será marcada apenas por alegria e risos. Em contrapartida, também não se pode dizer que ela se constituirá somente de tristeza e choro. Certamente encararemos momentos de pranto, mas, quando isso acontecer, devemos lembrar que não se trata de um quadro definitivo. É possível esperar alegria depois do choro! As Sagradas Escrituras atestam: "Os que com *lágrimas* semeiam *com júbilo* ceifarão. Quem sai andando e *chorando*, enquanto semeia, voltará *com júbilo*, trazendo os seus feixes" (Sl 126.5-6). Lágrimas e choro não são uma condição permanente na vida dos que servem a Deus; trata-se de algo transitório, não permanente.

Além disso, a vida consiste em circunstâncias que se alternam. Daí a orientação do apóstolo Paulo: "Alegrem-se com os que se alegram e chorem com os que choram" (Rm 12.15). Em um mesmo tempo há pessoas rindo, e também há pessoas pranteando. Enquanto escrevo este livro, nasceu minha primeira neta, Aela Maria, e a família fez festa. Entretanto, menos de um mês depois, meu sogro, Joel, faleceu, e a mesma família chorou. Vivemos os extremos dos sentimentos, por vezes em um período bem curto. A vida e a morte, as coisas boas e as ruins, tudo pode acontecer concomitantemente. E aqueles que não reconhecem que há tempo de chorar acabarão sendo pegos desprevenidos quando o momento inevitável chegar.

Espere problemas

Dizem que a decepção é proporcional à expectativa. Ou seja, se fantasiarmos o futuro demasiadamente, certamente nos desapontaremos de modo proporcional. Talvez essa seja uma das razões pelas quais muitos cristãos se abatem diante das adversidades; em vez de se preparar para elas, nem sequer aguardavam a sua chegada.

A consciência de que enfrentaremos problemas não precisa ser um fator de desânimo. Jesus afirmou expressamente: "Falei essas coisas para que em mim vocês tenham *paz*. No mundo, vocês passam por aflições; mas tenham *coragem*: eu venci o mundo" (Jo 16.33). Em outras palavras, o que enfrentamos do lado de fora não precisa determinar o que sentimos do lado de dentro. A esse respeito, o profeta Isaías também expressou uma mensagem da parte do Senhor:

> *Quando* você passar pelas águas, eu estarei com você;
>   *quando* passar pelos rios, eles não o submergirão;
> *quando* passar pelo fogo, você não se queimará;
>   as chamas não o atingirão.
> Porque eu sou o Senhor, seu Deus, o Santo de Israel, o seu Salvador.
> Isaías 43.2-3a

Deus não prometeu salvar-nos *das* circunstâncias negativas, e sim *nas* adversidades. A primeira implicaria não ter problemas; a segunda, receber socorro em meio aos problemas. Repare que o Senhor não disse "se" você passar pelas águas ou pelo fogo, e sim "quando". As dificuldades surgirão, isso é fato; é só uma questão de tempo.

Não confunda ser realista com ser pessimista. É possível ser otimista mesmo sendo realista. Isso se comprova quando Jesus nos conclama à coragem, sem deixar de comunicar que teremos aflições. Alguns crentes fantasiam que jamais terão problemas e, justamente por isso, quando a adversidade vem, eles desanimam. Outros, a despeito do que enfrentam, transbordam da alegria e do ânimo que provêm do Senhor. Foi exatamente acerca desse tipo de atitude que Tiago ensinou: "Meus irmãos, tenham por motivo de *grande alegria* o fato de passarem por *várias provações*" (Tg 1.2).

As provações, aliás, podem vir dos lugares mais diversos. A família, por exemplo, não proporciona apenas alegrias, mas também dores: brigas, traição, abandono, para não falar da imensa dor da perda produzida pela morte. Jacó, por exemplo, teve problemas com seu irmão, Esaú, e ficou foragido por mais de vinte anos. Superada essa dor, ainda teve de lidar com a violação que sua filha, Diná, sofreu em Siquém. Posteriormente, seu filho José foi vendido como escravo pelos próprios irmãos, e Jacó chorou "a morte do filho vivo" por muitos anos. O rei Davi, por sua vez, teve filhos cometendo incesto, homicídio e até mesmo rebelando-se contra ele e tentando usurpar-lhe o trono!

Não estou dizendo que devemos viver à espera das piores desgraças. Afirmo apenas que não podemos nos iludir, acreditando que estejamos isentos da possibilidade de enfrentá-las. A certeza de fé que podemos carregar é a de que, independentemente do que enfrentamos, o Senhor está conosco e pode intervir em nossa vida. Uma fé negacionista, que vende convicções de que nada de ruim nos acontecerá, depressa desmoronará diante dos problemas.

No Sermão do Monte, na ilustração das casas edificadas sobre a rocha e sobre a areia (Mt 7.24-27), o Senhor Jesus queria instruir-nos sobre tais verdades. Ao analisarmos as similaridades e distinções entre os dois construtores e o resultado final dos seus projetos, a lição fica bem clara. Ambos edificaram uma casa e tiveram de lidar com as mesmas circunstâncias: "Caiu a chuva, transbordaram os rios, sopraram os ventos e bateram com força contra aquela casa" (v. 25, 27). Uma casa, porém, tinha alicerce firme, ao passo que a outra não; a que estava desprovida de fundamento acabou desabando. Isso revela que as adversidades virão para todos, mas só derrubarão os que não se prepararam para elas!

Esperar por situações difíceis não é sabotar a alegria. Muito pelo contrário: é garantir que a alegria não seja circunstancial. Os que baseiam sua felicidade nas circunstâncias comprometerão sua fé quando elas não forem satisfatórias. Nosso Senhor, na parábola do semeador, disse: "O que foi semeado em solo rochoso, esse é o que ouve a palavra e logo a recebe com alegria. Mas ele não tem raiz em si mesmo, sendo de pouca duração. Quando *chega a angústia ou a perseguição* por causa da palavra, logo se escandaliza" (Mt 13.20-21). Em minhas quase três décadas de ministério, tenho assistido repetidamente a essa cena.

Portanto, sejamos francos em admitir essa possibilidade e honestos ao ensinar os novos discípulos. Não nos esqueçamos, porém, que se é verdade que o "tempo de chorar" indica uma realidade inevitável a ser enfrentada, também aponta, como já vimos, o fato de que não se trata de um estado permanente. O choro e a tristeza tem prazo de validade, e podemos esperar pelo seu fim.

Dê tempo ao tempo

Lembro-me de ouvir repetidas vezes da boca de meu pai, Juarez Subirá, a expressão: "É preciso dar tempo ao tempo". Em outras palavras, nem tudo se resolve de modo instantâneo. "Dar tempo ao tempo", nesse sentido, era um apelo à paciência, à espera dos resultados que só o tempo poderia proporcionar. Permita-me ilustrar isso.

Certa ocasião, quando ainda era um pré-adolescente, levei um tombo de bicicleta e trinquei a rótula de um dos joelhos; precisei engessar a perna e esperar um mês antes de poder remover o gesso. Foi um exercício de paciência altíssimo para a minha idade e para a ansiedade comum àquela etapa da vida. Mas o pior foi quando o médico removeu o gesso e eu, que achava que já sairia correndo e pulando pelos corredores do hospital, descobri que a perna não dobrava; os músculos, por falta de exercício, haviam atrofiado. Aflito, passei a acusar em meu íntimo aquele médico, como se ele tivesse feito algo errado com a minha perna, até que ele me explicou o que havia acontecido e o prazo necessário para que eu me recuperasse. Em casa, ouvi de meu pai a frase de sempre: "É preciso dar tempo ao tempo".

Algumas situações de dor e choro, como o luto, por exemplo, requerem um tempo prolongado; não se resolvem da noite para o dia. Em contrapartida, já constatamos, com base nas Sagradas Escrituras, que também há consolo sobrenatural à nossa disposição e que não precisamos viver chorando. Essa compreensão, somada à capacidade de enxergar o todo da doutrina bíblica sobre *o tempo de chorar*, nos ajuda a encontrar o equilíbrio necessário. Isso envolve tanto reconhecer que há momentos em que de fato devemos chorar, em que as lágrimas não devem ser evitadas porque é, de fato, hora de chorar, como também implica entender quando esse tempo se encerra e, então, devemos parar de chorar.

A verdade é que o choro tem *prazo de validade*. Como disse Davi: "Porque a sua ira dura só um momento, mas o seu favor dura a vida inteira. O *choro* pode durar uma noite, mas a *alegria* vem pela manhã" (Sl 30.5). Depois de apresentar um contraste entre a *ira* e o *favor* de Deus, o salmista destaca que o favor não só substituirá a ira (um indicativo de juízo) como também terá duração maior. Poucos versículos depois, o salmista acrescenta: "Tornaste o meu pranto em dança alegre; tiraste o meu pano de saco e me cingiste de *alegria*" (Sl 30.11).

Não se trata de mera informação; essas declarações são fundamentos para a nossa *fé*. Isso significa que Deus quer que haja em nós convicções dessas verdades e, consequentemente, atitudes corretas de confiança, alicerçadas nessas mesmas convicções.

Convém lembrar, porém, que a declaração de que "o choro pode durar uma noite, mas a alegria vem pela manhã" não necessariamente indica um tempo específico, literal, da duração do choro limitada às horas da noite. Até porque, na própria Palavra de Deus, encontramos exemplos de gente chorando por vários dias, como Efraim, filho de José, quando da perda de dois de seus filhos (1Cr 7.22).

Portanto, chorar uma única noite e já alegrar-se na alvorada não é o que está sendo comunicado pelo salmista. E, uma vez que a Bíblia não se contradiz, é preciso reconhecer que há um simbolismo por trás dessas palavras.

Simbolismo da luz

No meu modo de ver, o salmista está dizendo que o choro prevalece nas trevas, mas se dissipa com a chegada da luz. Assim como o alvorecer providencia substituição da escuridão por iluminação natural, do mesmo modo há uma iluminação divina que dissipa a tristeza que, por sua vez, prevalece na escuridão. Qual é, portanto, o simbolismo da luz?

A tipologia da luz, nas Escrituras, abrange, entre outras coisas, mas principalmente, o conceito de *entendimento*. E, nesses casos, mais que inferir uma compreensão natural, humana, sugere-se uma *revelação*, ou entendimento espiritual: "A *revelação* das tuas palavras traz *luz* e dá entendimento aos simples", diz o salmista (Sl 119.130). Observe que, aqui, a expressão "traz luz" está diretamente ligada aos termos "revelação" e "entendimento". Simeão, em seu cântico profético, refere-se a Cristo como "luz para revelação aos gentios" (Lc 2.32); encontramos, novamente, a relação entre luz e revelação.

O salmista orou: "Envia a tua luz e a tua verdade, para que me guiem" (Sl 43.3). E também: "Lâmpada para os meus pés é a tua palavra, é luz para os meus caminhos" (Sl 119.105). Paulo, escrevendo aos coríntios, fez uso do mesmo simbolismo:

> Mas, se o nosso evangelho ainda está encoberto, é para os que se perdem que ele está encoberto, nos quais o deus deste mundo *cegou o entendimento dos descrentes*, para que não lhes *resplandeça a luz do evangelho da glória de Cristo*, o qual é a imagem de Deus. Porque não pregamos a nós mesmos, mas a Jesus Cristo como Senhor e a nós mesmos como

servos de vocês, por causa de Jesus. Porque Deus, que disse: "Das trevas resplandeça a luz", ele mesmo *resplandeceu em nosso coração*, para *iluminação do conhecimento* da glória de Deus na face de Jesus Cristo.

2Coríntios 4.3-6

O apóstolo ressalta que os descrentes encontram-se cegos (privados da luz) em decorrência de uma ação maligna que procura evitar, deliberadamente, o resplandecer da luz do evangelho. Constatamos, mais uma vez, a ligação da luz com o entendimento da Palavra de Deus. E, em oração pelos crentes de Éfeso, Paulo recorre à mesma ilustração:

> Peço ao Deus de nosso Senhor Jesus Cristo, o Pai da glória, que conceda a vocês espírito de *sabedoria* e de *revelação* no pleno *conhecimento* dele. Peço que ele *ilumine os olhos do coração* de vocês, para que saibam qual é a esperança da vocação de vocês, qual é a riqueza da glória da sua herança nos santos.

Efésios 1.17-18

Aqui são as palavras "sabedoria", "revelação" e "conhecimento" que estão relacionadas com a luz. E o ato de iluminar o íntimo é apresentado como uma capacitação divina para que os efésios "saibam qual é a esperança da vocação" recebida.

O termo "iluminado", aliás, veio a ser usado para indicar aqueles que se converteram (Hb 6.4; 10.32). Zacarias, pai de João Batista, ao fazer menção do Messias — de quem seu filho seria o precursor — fez uso dessa alegoria: "graças à profunda misericórdia de nosso Deus, pela qual nos visitará o sol nascente das alturas, *para iluminar* os que jazem nas trevas e na sombra da morte, e dirigir os nossos pés pelo caminho da paz" (Lc 1.78-79).

(Ainda me lembro com clareza de ouvir meu amigo Marcelo Jammal abordando esse assunto em uma pregação à nossa igreja, no início de 2006. Em dado momento, ele passou a falar de Salmos 30.5

e apresentou o conceito de que o choro durar uma noite e a alegria vir pela manhã não era algo a ser entendido de forma literal. Destacou que, além da efemeridade da tristeza, a Bíblia destaca que o choro prevalece nas trevas ao passo que a chegada da luz faz a tristeza desvanecer e dar lugar à alegria. Na ocasião, ele não apenas propôs o entendimento de que luz fala da revelação, do entendimento da Palavra de Deus, como também se dirigiu a mim, no meio da ministração, e afirmou acreditar que eu ainda iria escrever a respeito daquilo. Esse detalhe, em particular, foi algo de que só me lembrei enquanto escrevia este livro, tantos anos depois.)

A diferença entre entregar-se ao desânimo e ao desespero e permanecer firme e inabalável pode ser vista na revelação que um indivíduo recebeu — ou na falta dela. Um exemplo são as atitudes contrastantes de Jó e de sua esposa. Enquanto aquela mulher questionava o marido acerca de sua fidelidade a Deus e sugeria que ele virasse as costas para o Senhor ("Você ainda conserva a sua integridade? Amaldiçoe a Deus e morra!"), a postura de Jó era de firmeza na fé mesmo em meio ao grande sofrimento: "Você fala como uma doida. Temos recebido de Deus o *bem*; por que não receberíamos também o *mal*?". E o texto bíblico afirma que *"em tudo isto* Jó não pecou com os seus lábios" (Jó 2.9-10).

Após quase trinta anos de ministério, observando o comportamento de muita gente, chego à conclusão de que aqueles que não contam com uma revelação clara de Deus, um entendimento prático das Escrituras, afundam-se mais facilmente em tristeza e sofrimento diante das agruras da vida; sua fé, à semelhança da mulher de Jó, esmorece. Em contrapartida, aqueles que, a exemplo de Jó, podem dizer de coração: "eu sei que o meu Redentor vive e por fim se levantará sobre a terra" (Jó 19.25), demonstram que é possível ser sobrenaturalmente fortalecido; e, mais que apenas ser consolados, eles apresentam grande capacidade de superação.

Qual é a diferença entre Jó e sua esposa? Eles vivenciaram exatamente as mesmas circunstâncias, as mesmas perdas e dores. Entretanto, a reação de cada um foi bem distinta. A luz que temos a respeito do Senhor pode ser o diferencial entre ânimo e desânimo, alegria e tristeza, força e fraqueza.

Conforme relatamos no capítulo anterior, quando Davi e seus homens depararam com sua cidade destruída e descobriram que suas mulheres e filhos haviam sido levados cativos, choraram até não terem mais forças para chorar. Foi nesse momento, então, que o futuro rei de Israel se distinguiu dos demais. Qual a diferença entre o homem segundo o coração de Deus e os seus liderados? A Escritura nos informa: "Mas Davi *se reanimou* no SENHOR, seu Deus" (1Sm 30.5). A Bíblia como um todo, e o livro dos Salmos em particular, revela que Davi tinha uma incomum capacidade de reação frente às adversidades. E também nos mostra que isso derivava de sua busca pelo entendimento de Deus: "Uma coisa peço ao SENHOR e a buscarei: que eu possa *morar* na Casa do SENHOR todos os dias da minha vida, para *contemplar* a beleza do SENHOR e *meditar* no seu templo" (Sl 27.4). Em outras palavras, Davi afirmou que seu principal anseio era conhecer cada vez mais a Deus. E esse conhecimento era o grande diferencial de sua vida.

Portanto, para que o choro cesse é necessário que "amanheça", isto é, que as trevas da ignorância, da falta de entendimento, da cegueira espiritual sejam dissipadas pela chegada da luz, a entrada da revelação, o brilho do entendimento concedido pelo Espírito.

Com isso podemos afirmar que o tempo do choro, que é transitório e não permanente, depende da compreensão de Deus que nos permitimos ter por meio de sua Palavra. E o Espírito da Verdade sempre nos fará lembrar da Palavra de Cristo (Jo 14.26) e trará sua aplicação ao nosso coração, razão pela qual precisamos estar abertos e receptivos à luz que ele se propõe trazer a nós.

A alegria não é circunstancial

Entendo que grande parte da decepção que muitos cristãos trazem consigo envolve não só a incompreensão da realidade incontestável das adversidades que nos aguardam, mas também o fato de, equivocadamente, terem nas circunstâncias a sua fonte de alegria. Um entendimento correto da Palavra de Deus deve levar-nos à compreensão de que o Pai celeste é a nossa verdadeira e única fonte de alegria.

Davi, falando pelo Espírito Santo, declarou: "Tenho o Senhor sempre diante de mim; estando ele à minha direita, não serei abalado. Por isso o meu coração se alegra e o meu espírito exulta" (Sl 16.8-9). Ele reconhecia que por estar o tempo todo diante da presença de Deus é que seu coração se alegrava e seu espírito exultava. Na sequência ainda afirmou: "na tua presença há plenitude de alegria, à tua direita, há delícias perpetuamente" (Sl 16.11).

Os apóstolos nos legaram um claro modelo de vida cristã que envolvia alegrar-se no Senhor independentemente das circunstâncias. Quando saíram da prisão, depois de açoitados e proibidos de pregar sobre Cristo, "eles se retiraram do Sinédrio *muito alegres* por terem sido considerados dignos de sofrer afrontas por esse Nome" (At 5.41). Note que eles haviam sido, presos, açoitados e afrontados; ainda assim, estavam muito alegres. Como? Justamente porque não dependiam das circunstâncias para se alegrarem.

Exemplo semelhante é o de Paulo e Silas na prisão, em Filipos. O texto bíblico nos conta:

> Então a multidão se levantou unida contra eles, e os magistrados, rasgando-lhes as roupas, mandaram açoitá-los com varas. E, depois de lhes darem muitos açoites, os lançaram na prisão, ordenando ao carcereiro que os guardasse com toda a segurança. Este, recebendo tal ordem, levou-os para o cárcere interior e prendeu os pés deles no tronco.
>
> Atos 16.22-24

Contudo, a despeito do que enfrentaram, qual foi a reação deles? "Por volta da meia-noite, Paulo e Silas oravam e cantavam louvores a Deus..." (At 16.25). Além de não murmurarem nem desanimarem, ainda buscaram o Senhor e o adoraram!

Preocupa-me a fragilidade de fé da geração atual. Qualquer problema parece colocá-los em uma crise devastadora. A razão? O foco no lugar errado. Paulo assim instruiu Timóteo: "Exorte os ricos deste mundo a que não sejam orgulhosos, nem depositem a sua esperança na *instabilidade* da riqueza, mas *em Deus*, que tudo nos proporciona ricamente para o *nosso prazer*" (1Tm 6.17). A exortação aos que tinham posses terrenas era clara: não depositem sua esperança naquilo que é instável, nas riquezas. Ou seja, hoje temos e amanhã poderemos não ter; não há garantias de que as circunstâncias favoráveis serão permanentes! Por isso o apóstolo insiste que a esperança seja depositada em Deus; é ele quem nos proporciona o prazer, independentemente das circunstâncias (e posses).

Quando a Bíblia relata o ministério de Filipe, em Samaria, atesta que "houve *grande alegria* naquela cidade" (At 8.8). Por quê? Porque o evangelho foi pregado e proporcionou mudança na vida *espiritual* das pessoas, e não apenas no aspecto *circunstancial*.

Vários relatos bíblicos apontam a relação entre a alegria e a pessoa do Espírito Santo: "Os discípulos, porém, estavam cheios de *alegria* e do *Espírito Santo*" (At 13.52). "Mas o fruto do *Espírito* é [...] *alegria*" (Gl 5.22). "Porque o Reino de Deus não é comida nem bebida, mas justiça, paz e *alegria no Espírito Santo*" (Rm 14.17). Não poucos cristãos, contudo, seguem buscando alegria circunstancial em vez de se conectarem profundamente ao Senhor e serem cheios do Espírito de Deus.

A mensagem do evangelho, anunciada pela igreja brasileira, tem sido, predominantemente, a de uma alegria circunstancial. Muitos se converteram por estarem frustrados com a falta de realização nos prazeres carnais, mundanos e pecaminosos. Entretanto, outros tantos que nem ao menos se arrependeram de seus pecados — ignorando que essa é a verdadeira causa de toda dor e sofrimento — decidiram colocar Deus na sua história, mas não o fazem da maneira correta. Em vez de o Senhor ocupar o *centro* da vida, relegam-no a uma posição periférica de *auxiliar* na busca pela felicidade. Apenas mudaram o tipo de circunstâncias que tinham como fonte de alegria: a pecaminosa pela legítima, a do que é ilícito pelo que é lícito... mas ainda fazem das circunstâncias a fonte de sua realização!

Trata-se do que eu denomino um "evangelho transgênico", antropocêntrico, centrado naquilo que Deus pode me dar e não em um relacionamento no qual *ele* é o centro e as demais coisas perdem sua importância.

Paulo, escrevendo aos crentes de Filipos, declarou: "Alegrem-se sempre no Senhor; outra vez digo: alegrem-se!" (Fp 4.4). O apóstolo sinaliza que a alegria deveria ser a marca registrada da vida do cristão, mas não deixa de apontar para a sua única e verdadeira fonte: o Senhor Jesus Cristo. A expressão "alegrem-se sempre no Senhor" indica: 1) o *que* devemos fazer, isto é, alegrar-nos; 2) *quando* devemos fazer, ou seja, sempre, em todo tempo e em todas as circunstâncias; e 3) *quem* é a fonte, a saber, o Senhor. Poucos versículos adiante, Paulo nos ensina com mais detalhes como devemos nos portar na caminhada cristã:

> Fiquei *muito alegre no Senhor* porque, agora, uma vez mais, renasceu o cuidado que vocês têm por mim. Na verdade, vocês já tinham esse cuidado antes, só que lhes faltava oportunidade. Digo isto, não porque esteja necessitado, porque aprendi a viver contente em toda e qualquer situação. Sei o que é passar necessidade e sei também o que é ter em abundância; aprendi o segredo de toda e qualquer circunstância, tanto de estar alimentado como de ter fome, tanto de ter em abundância como de passar necessidade. *Tudo posso naquele que me fortalece.*
>
> Filipenses 4.10-13

Ele começa destacando que ficou "muito alegre no Senhor". Note que a alegria aparece vinculada ao Senhor, não às circunstâncias. Em seguida, menciona um "cuidado" que expressaram para com ele; isso fica mais claro nos versículos 14 a 16 do mesmo capítulo, em que o apóstolo explica que os macedônios eram investidores financeiros de seu ministério e enviavam recorrentemente ofertas para suprir suas necessidades.

Entretanto, o homem de Deus faz questão de destacar que sua alegria não dependia do que ele enfrentava: "Digo isto, não porque esteja necessitado, porque aprendi a viver contente em toda e qualquer situação". Então ele define o "toda e qualquer situação" falando tanto de passar necessidade como de ter em abundância, de estar alimentado e de passar fome. E conclui: "*Tudo* posso naquele que me fortalece" (Fl 4.13).

Essa clássica afirmação de Paulo é frequentemente tirada do seu contexto. Muitos se utilizam dela para falar daquilo que podem fazer ou realizar, ao passo que o apóstolo a empregou com referência àquilo que ele podia *suportar*. A ideia, expressa em seu contexto, era: "Posso ter escassez e abundância, fome e provisão, e permanecer alegre a despeito disso. Eu me alegro no Senhor, e não nas circunstâncias; minhas forças provêm dele, e não daquilo que enfrento diariamente".

Como observamos no capítulo anterior, não deixamos de chorar tão somente por causa de mudanças nas circunstâncias, mas sobretudo porque a alegria do Senhor é a nossa força (Ne 8.10). Por isso o cristão pode alegrar-se estando bem ou mal casado, ou até divorciado; pode regozijar-se empregado ou desempregado, com dinheiro guardado ou endividado; pode sentir júbilo saudável ou enfermo, livre ou preso.

O profeta Isaías denunciou o mau comportamento dos israelitas que não cumpriam a lei do Senhor (Is 58.1-5). Logo na sequência, começou a exaltar os resultados positivos caso se arrependessem e agissem corretamente; dentre eles, destaco o seguinte: "então vocês terão no Senhor a sua *fonte de alegria*" (Is 58.14). Davi também registrou: "Na tua força, Senhor, o rei se alegra!", e acrescentou: "[Tu] o encheste de alegria com a tua presença" (Sl 21.1,6). Deus é aquele que de quem emana a nossa alegria! Paulo, escrevendo à igreja de Tessalônica, atestou: "E vocês se tornaram nossos imitadores e do Senhor, recebendo a palavra com a *alegria que vem do Espírito Santo, apesar dos muitos sofrimentos*" (1Ts 1.6). O entendimento espiritual da Palavra, produzido pelo Espírito Santo, seguido de receptividade da nossa parte, produz alegria em nós, não obstante as circunstâncias.

Concluindo, há tempo de chorar. Mas, se esse tempo tem início, também tem fim. As adversidades baterão à porta, mas o consolo sobrenatural dos céus está à nossa disposição. E a combinação da comunhão com o Senhor, da ação do Espírito Santo em nós e do entendimento das Escrituras com a fé depositada nelas será uma "química explosiva", que transformará a tristeza em alegria.

5

TIPOS DE CHORO

O mesmo Deus que, por intermédio do profeta Isaías, declarou ao rei Ezequias: "Ouvi a sua oração e vi as suas *lágrimas*" (2Rs 20.5), foi quem também, mediante o profeta Malaquias, afirmou ao povo judeu: "Há outra coisa que vocês fazem: cobrem de *lágrimas* o altar do Senhor, com *choro* e *gemidos*, porque ele já não olha para a oferta nem a aceita com prazer" (Ml 2.13).

No primeiro caso, o Senhor demostrou que as lágrimas podem chamar a sua atenção; no segundo, revelou que poderia ignorar o choro e que as lágrimas não surtiriam efeito algum. E a razão que levou o Eterno a não se sensibilizar com as lágrimas dos judeus era a mesma que o fazia ignorar as ofertas deles: o *pecado* (Ml 2.14).

Embora possa nos parecer contraditório, o posicionamento divino é, *como sempre*, coerente. A questão é que muitas vezes ignoramos o fato de que nem todo choro é igual. Eles podem até ser parecidos quando se avalia apenas o comportamento exterior, contudo, como foi dito a Samuel, "o Senhor não vê como o ser humano vê. O ser humano vê o exterior, porém *o Senhor vê o coração*" (1Sm 16.7). O que diferencia, perante Deus, um choro de outro é o elemento interior. Tem a ver com a motivação por trás das lágrimas.

A distinção do certo e errado não se dá apenas pelo *que* se faz, mas sim *como* ou *por que* se faz. Um exemplo disso é que Jesus, em Mateus 6.1-18, confronta seus ouvintes a respeito dos temas da esmola, da oração e do jejum. Em nenhum momento tais práticas são apresentadas como erradas — até porque, por si sós, elas não o são; pelo contrário, são bastante corretas. O que Cristo condena é a *motivação* equivocada: "Evitem praticar as suas obras de justiça diante dos outros *para serem vistos por eles*; porque, sendo assim, vocês já não terão nenhuma recompensa junto do Pai de vocês, que está nos céus" (Mt 6.1). Quando a coisa certa é feita com a motivação errada, mesmo não sendo errada em si mesma, passa a estar errada pela forma ou pelo motivo com que a fazemos.

Em sua epístola, o apóstolo Tiago menciona os crentes que não recebem de Deus por falta de oração: "Nada têm, porque não pedem" (Tg 4.2). Na sequência, porém, emenda um comentário sobre os que oram e, assim como os que não oram, também não recebem do Senhor: "pedem e não recebem, porque pedem mal" (Tg 4.3). A diferença entre as duas atitudes? O primeiro grupo não fez a coisa certa, enquanto o segundo fez a coisa certa do jeito errado. E fazer o que é certo da forma errada acaba tendo o mesmo efeito que não fazer o que é certo.

Quando Caim ofertou ao Senhor, *o que* ele fez não era, por si só, errado. O mesmo, contudo, não se pode dizer de *como* ele fez. Enquanto seu irmão entregou os primeiros frutos (Gn 4.4), honrando a Deus e colocando-o em primeiro lugar, Caim deixou o Altíssimo por último, no fim (Gn 4.3). O problema não era a oferta, e sim como ela foi entregue. Por isso o Criador o advertiu: "Se procederes bem, não é certo que serás aceito?" (Gn 4.7, RA).

Um último exemplo é o da ceia do Senhor. Paulo, escrevendo aos coríntios, menciona "o cálice da bênção que abençoamos" (1Co 10.16).

Por que o apóstolo denomina o cálice dessa maneira? Porque há bênção divina quando ceamos. A comunhão com o sangue e o corpo de Cristo proporcionam isso. Entretanto, há também a advertência para não "comer o pão ou beber o cálice do Senhor *indignamente*" a fim de que ninguém se torne "réu do corpo e do sangue do Senhor" (1Co 11.27). Logo, participar da ceia não é errado e ainda nos abençoa — a menos que a coisa certa (cear) seja feita da forma errada (indignamente).

Assim também é com o choro. Não podemos imaginar que as lágrimas contenham, em si mesmas, o poder de atrair a atenção divina ou de provocar intervenções celestiais. Não é o choro que determina os resultados, e sim a motivação por trás dele. Portanto, faz-se necessário agora avaliar os tipos diferentes de choro.

Motivação certa

Sabemos que muitas pessoas foram atendidas pelo Senhor ao longo da história. No capítulo 3, estudamos alguns exemplos bíblicos de fiéis cujas lágrimas não foram ignoradas: Ana, Davi e Ezequias são testemunhas de que podemos desfrutar o socorro do Alto. O resultado de suas lágrimas nos leva a deduzir que a motivação deles foi correta.

Porém, quando o assunto é motivação, só Deus pode avaliar o que se passa no íntimo de cada um. É difícil para o ser humano avaliar aquilo acerca do qual o Senhor não se pronunciou: "O coração do ser humano pode fazer planos, mas a resposta certa vem dos lábios do Senhor. Todos os caminhos de uma pessoa são puros aos seus próprios olhos, *mas o Senhor sonda o espírito*" (Pv 16.1-2).

Podemos, à semelhança do salmista, pedir a ajuda divina para uma sondagem de coração: "*Sonda-me*, ó Deus, e conhece o meu coração, prova-me e conhece os meus pensamentos; vê se há em mim algum caminho mau e guia-me pelo caminho eterno" (Sl 139.23-24).

Melhor que o *autoexame*, que é bíblico (1Co 11.28), é o "exame do Alto"!

Voltando à análise das lágrimas, há um tipo de choro, por exemplo, que é uma ordenança divina:

> Portanto, *sujeitem-se a Deus*, mas resistam ao diabo, e ele fugirá de vocês. Cheguem perto de Deus, e ele se chegará a vocês. *Limpem as mãos, pecadores*! E vocês que são indecisos, *purifiquem o coração. Reconheçam a sua miséria*, lamentem e *chorem*. Que o riso de vocês se transforme em pranto, e que a alegria de vocês se transforme em tristeza. *Humilhem-se* diante do Senhor, e ele os *exaltará*.
>
> Tiago 4.7-10

Vemos, na passagem acima, que Deus não só mandou chorar como também definiu o motivo do choro. Esse choro fala tanto de *arrependimento* como de *humilhação*. As expressões "sujeitem-se", "limpem as mãos", "purifiquem o coração" e "reconheçam a sua miséria" destacam o arrependimento propriamente dito, ao passo que "humilhem-se diante do Senhor" enfoca a humilhação, que é parte do arrependimento e reflete dependência de Deus e reconhecimento das limitações humanas. No Antigo Testamento, encontramos um apelo semelhante: "*Convertam-se a mim* de todo o coração; com jejuns, *com choro e com pranto*" (Jl 2.12).

A ideia da abordagem do choro de arrependimento é realçar que, se o *motivo* é proposto pelo próprio Deus e acatado e praticado pelo ser humano, então manifestará, inevitavelmente, a *motivação* correta. E, havendo a motivação correta, esse tipo de choro também conduzirá aos *resultados* prometidos: "Humilhem-se diante do Senhor, e ele os exaltará".

Motivação errada

Todavia, em contraponto ao choro com a motivação *correta* que produz resultado (a intervenção divina), também há outro tipo de choro que é ignorado por Deus, como vimos na declaração do profeta Malaquias (Ml 2.13). E relacionamos essa ausência de atenção divina à motivação *errada* por trás do choro.

Enquanto dissertava sobre a motivação correta, relacionei-a ao *arrependimento*. Agora, ao tratar da motivação errada do choro, abordarei a questão do *remorso*.

As Escrituras registram o choro de Esaú, filho de Isaque e neto de Abraão: "E, levantando Esaú a voz, *chorou*" (Gn 27.38). Qual o contexto desse choro? Jacó, seu irmão mais novo (por uma pequena diferença de tempo, posto que eram gêmeos), se fez por Esaú diante do pai, que, já cego pela idade avançada, não o reconheceu e o abençoou. Quando Esaú descobre que seu irmão o enganara, grita com amargura e depois chora perante o pai suplicando uma bênção (Gn 27.30-41).

O Antigo Testamento apenas menciona o choro. O Novo Testamento, por sua vez, traz mais luz e amplia o entendimento desse episódio interpretando-o do seguinte modo:

> E cuidem para que não haja nenhum impuro ou *profano*, como foi Esaú, o qual, por um prato de comida, vendeu o seu direito de primogenitura. Pois sabeis também que, posteriormente, querendo herdar a bênção, foi rejeitado, pois *não achou lugar de arrependimento*, embora, *com lágrimas, o tivesse buscado*.
>
> Hebreus 12.16-17

Constatamos aqui que houve lágrimas, mas não arrependimento. Onde reside a diferença? Entendo que a diferença está em que o choro lamenta a perda sofrida apenas em termos da *consequência*, e não da *essência* do erro.

O perfil que as Escrituras traçam de Esaú revela um homem desinteressado de Deus, sem genuíno temor. Em vez de mostrar anseio por perpetuar o propósito divino revelado a seu avô e seu pai, ele parecia interessado apenas no aspecto terreno e efêmero da bênção.

O texto de Hebreus o apresenta como *profano*, que tanto indica o que não é santo como o que é comum. E esse adjetivo está relacionado ao fato de que Esaú, antes mesmo de lamentar a bênção não recebida, desprezou seu direito de primogenitura:

> Jacó tinha feito um ensopado, quando Esaú, exausto, veio do campo e lhe disse:
> — Por favor, me deixe comer um pouco da coisa vermelha, essa coisa vermelha aí, pois estou exausto. (Por isso deram-lhe o nome de Edom.)
> Jacó respondeu:
> — Primeiro *me venda o seu direito de primogenitura*.
> Ele respondeu:
> — Estou morrendo de fome; *de que me vale o direito de primogenitura*?
> Então Jacó disse:
> — Primeiro jure.
> Esaú jurou e *vendeu o seu direito de primogenitura a Jacó*. E Jacó deu a Esaú pão e o ensopado de lentilhas; ele comeu e bebeu, levantou-se e saiu. Assim, Esaú *desprezou o seu direito de primogenitura*.
>
> Gênesis 25.29-34

Alguns detalhes merecem atenção nessa história. Primeiro, não há nenhum indício bíblico de que o plano divino possa ser negociado por homens, como dá a impressão de ter ocorrido aqui na transação entre os gêmeos. As Escrituras não conferem legitimidade à trapaça de Jacó para obter o direito à bênção da primogenitura.

Segundo, o desprezo que Esaú demonstrou por seu direito de primogenitura indica que ele tratou como comum (ou profano) o que deveria ter sido valorizado como santo. Aí está o diferencial. A bênção que Jacó era incapaz de comprar foi tratada com desdém por Esaú.

Terceiro, a rejeição de Esaú, registrada em Hebreus, não é humana, e sim divina. Seu pai não o rejeitou; Isaque foi enganado e reconheceu que não tinha como voltar atrás. Porém, a bênção que ele proferiu tinha elemento profético, e não podemos aceitar a ideia de que o Deus Todo-poderoso foi enganado por Jacó. A verdade é que há uma lei de *reciprocidade* a ser levada em conta; o próprio Deus declarou: "honrarei aqueles que me honram, porém desprezarei os que me desprezam" (1Sm 2.30). O final da história indica que o Senhor rejeitou a Esaú, que o havia desprezado. O menosprezo de Esaú pelos valores de seus pais também é constatado nos matrimônios que contraiu com mulheres cananeias. E, ao tomar conhecimento de que Isaque e Rebeca enviaram Jacó para desposar alguém da família de sua mãe, age com birra, a fim de contrariar o padrão dos pais (que, mais que mera questão cultural, visava preservar os valores que Deus lhes havia comunicado):

> Esaú *viu* que Isaque havia abençoado Jacó e o havia mandado a Padã-Arã, para tomar de lá esposa para si, e que, ao abençoá-lo, lhe havia *ordenado* que não escolhesse uma esposa dentre as filhas de Canaã. Soube também que Jacó, *obedecendo* ao seu pai e à sua mãe, havia *ido* a Padã-Arã. *Sabendo* também que Isaque, seu pai, *não via* com bons olhos as filhas de Canaã, Esaú *foi* à casa de Ismael e, além das mulheres que já tinha, *tomou* por mulher Maalate, filha de Ismael, filho de Abraão, e irmã de Nebaiote.
>
> Gênesis 28.6-9

A descrição do episódio dos casamentos contraídos por Esaú não consiste em mera informação; fornece tanto detalhes como *ênfases*. As expressões destacadas são, nesse aspecto, muito significativas.

Levemos em conta, ainda, o histórico familiar: Abraão havia demonstrado a mesma preocupação e cuidado ao enviar seu servo para buscar uma esposa para Isaque fora de Canaã, fato que certamente não era ignorado por Esaú. Mesmo assim, *antes* da bênção paterna, ele se casou com duas mulheres cananeias, e *depois* da bênção dada a seu irmão, casou-se com uma terceira mulher para, então, deliberadamente, afrontar os pais. Ou seja, faltavam-lhe os valores e a honra (aos pais e a Deus, que havia firmado aliança com sua família) tanto antes como depois da bênção de Isaque.

Nota-se, portanto, de que espécie é o remorso que sentiu Esaú, que nunca honrou a Deus devidamente; ele lamenta o que perdeu apenas em termos das consequências, não da essência do erro.

A mesma atitude nós observamos em Saul, que, diante da repreensão de Samuel e do anúncio de sua rejeição pelo Senhor, não deu nenhum sinal de arrependimento, muito embora tenha reconhecido que pecou; ele se preocupou apenas com sua reputação diante dos homens:

> Então Saul disse a Samuel:
> — Pequei, pois transgredi o mandamento do SENHOR e as palavras que você falou; porque temi o povo e dei ouvidos à voz deles. Mas agora peço que você perdoe o meu pecado e volte comigo, para que eu adore o SENHOR.
> Porém Samuel disse a Saul:
> — Não voltarei com você. Por você ter rejeitado a palavra do SENHOR, ele também o rejeitou como rei sobre Israel.
> Quando Samuel se virou para ir embora, Saul o segurou pela borda do manto, e este se rasgou. Então Samuel lhe disse:
> — Hoje o SENHOR rasgou das suas mãos o reino de Israel e o deu a alguém que é melhor do que você. Também a Glória de Israel não mente, nem muda de ideia, porque não é homem, para que mude de ideia.
> Então Saul disse:
> — Pequei! Mas honre-me, agora, *diante dos anciãos do meu povo e diante de Israel*. Volte comigo, para que eu adore o SENHOR, seu Deus.
> 1Samuel 15.23b-30

Contrastando a isso, eis a atitude de Davi, que, tendo sido confrontado por Natã, admitiu: "Pequei contra ti, contra ti somente, e fiz o que é mau aos teus olhos" (Sl 51.4). Enquanto Saul se preocupou com sua reputação diante dos outros, Davi preocupou-se com sua reputação diante de Deus. Saul incomodou-se com as *consequências* de seu pecado, e Davi com a *essência* de seu pecado, que o afastou da presença do Senhor: "Não me lances fora da tua presença, nem me retires o teu Santo Espírito" (Sl 51.11).

Outro exemplo de remorso, em vez de arrependimento, é o de Judas Iscariotes, o discípulo traidor:

> Então Judas, que o traiu, *vendo que* Jesus havia sido condenado, *tocado de remorso,* devolveu as trinta moedas de prata aos principais sacerdotes e aos anciãos, dizendo:
> — *Pequei, traindo* sangue inocente.
> Eles, porém, responderam:
> — Que nos importa? Isso é com você.
> Então Judas, atirando as moedas de prata para dentro do templo, retirou-se e se enforcou.
>
> Mateus 27.3-5

A palavra grega traduzida por "remorso" é *metamellomai*, termo que aparece apenas seis vezes no Novo Testamento. É, de fato, uma palavra diferente de *metanoeo*, o termo grego mais usado no Novo Testamento para referir-se a arrependimento. O Léxico de Strong, comparando as duas palavras, aponta que *metamellomai* refere-se a uma mudança emocional, "pesar equivalente a remorso", enquanto *metanoeo* designa "aquela reversão de propósito moral conhecida como arrependimento". Porém, termina por concluir que "esta distinção parece não se manter pelo uso", ainda que a *metanoeo* pareça ser um "termo mais completo e mais nobre, expressivo de ação e fim moral, indicado não somente pela sua derivação, mas pela maior frequência do seu uso e pelo fato de ser usado muitas vezes no imperativo".[6]

Em suma, a definição de "remorso", em vez de "arrependimento", tem mais a ver com a análise do comportamento de Judas que com precisão de tradução ou origem etimológica. Acerca disso, vale citar um comentário do pastor e escritor Hernandes Dias Lopes:

A tristeza pelo pecado produz arrependimento verdadeiro, e o arrependimento atinge três áreas vitais da vida: razão, emoção e vontade.

Arrependimento é em primeiro lugar mudança de mente. É transformação intelectual. É abandonar conceitos e valores errados e adotar os princípios e valores de Deus.

Arrependimento é também mudança de emoções. É sentir tristeza pelo erro, e não apenas pelas consequências dele. É sentir nojo do pecado.

Mas, finalmente, arrependimento implica uma mudança da vontade. É dar meia-volta e seguir um novo caminho. Judas Iscariotes passou pelas duas primeiras fases do arrependimento: intelectual e emocional. Ele reconheceu seu erro, confessou-o, sentiu tristeza por ele, mas não se voltou para Deus. Essa é a diferença entre remorso e arrependimento. A tristeza piedosa não para no primeiro ou segundo estágio, mas avança para o terceiro, que é uma volta para Deus! Foi assim com Pedro. Ele não apenas reconheceu seu erro e chorou por ele, mas voltou-se para Cristo. Foi assim com o filho pródigo. Não apenas caiu em si, mas voltou para a casa do Pai, arrependido.[7]

Recapitulando, há tipos distintos de choro: aquele com a motivação certa e aquele com a motivação errada. Também vimos que o primeiro, relacionado ao arrependimento, é o processo inverso da tristeza sendo transformada em alegria. Destacamos, ainda, que assim como há tipos distintos de alegria, também há de tristeza. Por fim, vimos que o segundo tipo de choro está relacionado ao remorso e, por isso, é ignorado por Deus.

Se entendermos as diferentes versões de choro, então poderemos nos avaliar melhor a fim de evitar aquilo que desagrada ao Senhor.

6

O PROCESSO INVERSO

Não podemos perder de vista que o fio condutor deste livro, a mensagem principal, diz respeito a *como Deus transforma a tristeza em alegria*. Por ora, contudo, tratarei de um aparente paradoxo, uma suposta incoerência. No capítulo anterior, mencionei brevemente um texto que, aqui, quero abordar com mais detalhes:

> Cheguem perto de Deus, e ele se chegará a vocês. *Limpem as mãos, pecadores!* E vocês que são indecisos, *purifiquem o coração*. Reconheçam a sua *miséria*, lamentem e chorem. Que o riso de vocês se transforme em pranto, e que a alegria de vocês se transforme em tristeza. *Humilhem-se diante do Senhor,* e ele os exaltará.
>
> Tiago 4.8-10

Quando o assunto é *arrependimento*, a instrução divina parece sugerir um processo inverso: é o riso que se transforma em pranto e a alegria que se torna tristeza. Num primeiro olhar, isso contradiz nossa proposta de demonstrar, com base nas Escrituras, a disposição que Deus tem de "fermentar as lágrimas no odre" e convertê-las em alegria. A seguir, então, apresentarei os fatos que nos ajudarão a enxergar o quadro completo e dissipar essa aparente contradição.

Não há dúvidas de que Deus se interessa por nossa alegria. Não à toa, Jesus nos instruiu: "Até agora vocês não pediram nada em meu nome; *peçam e receberão*, para que a *alegria* de vocês seja completa" (Jo 16.24). E isso não foi um comentário isolado; é parte de uma doutrina bíblica declarada de forma recorrente e evidente. Paulo, escrevendo aos crentes de Roma, asseverou: "E o Deus da esperança encha vocês de toda *alegria*" (Rm 15.13). Aos cristãos de Corinto, o apóstolo apresentou um aspecto importante de seu ministério ao declarar: "somos cooperadores da alegria de vocês" (2Co 1.24).

Convém, todavia, entender a que *tipo* de alegria as Escrituras se referem. Quando Deus criou o ser humano, ele o proibiu de comer do fruto da árvore do conhecimento do bem e do mal. Tal restrição poderia parecer uma restrição à alegria, ao prazer e à realização da raça humana. Na verdade, porém, a restrição visava justamente lembrar o homem de que sua verdadeira alegria encontrava-se no relacionamento com Deus, não na busca de *falsas* alegrias — aqueles prazeres momentâneos que o afastariam do propósito divino e da única fonte de prazer duradouro. Portanto, é preciso entender qual é a alegria que Deus deseja nos proporcionar.

Jesus disse a seus discípulos: "Tenho lhes dito estas coisas para que *a minha alegria esteja em vocês*, e *a alegria de vocês seja completa*" (Jo 15.11). As palavras do Mestre são empolgantes: ele não apenas quer nossa alegria, como também deseja que alcancemos a medida cheia, plena, dessa alegria! Contudo, não podemos enfocar esse aspecto e ignorar a frase anterior; Jesus foi enfático ao declarar "para que a *minha* alegria esteja em vocês". Aqui se percebe qual é a alegria que Deus se propõe conceder à humanidade.

O mesmo apóstolo João que ouviu diretamente do Senhor as palavras acima e as registrou em seu evangelho também observou em sua primeira epístola: "Ora, *a nossa comunhão* é com o Pai e com o seu Filho, Jesus Cristo. E escrevemos estas coisas para que a *nossa alegria* seja completa" (1Jo 1.1-4). O fato é que não é possível experimentar a plena felicidade a não ser em Cristo.

Demonstramos, no primeiro capítulo, que a entrada da tristeza e da dor na humanidade se deu justamente através do pecado, da quebra da comunhão com Deus. O evangelho anuncia a obra redentora de Jesus para restaurar aquilo que se perdeu por causa do pecado. Portanto, não se trata de alegria pela alegria. Sem essa fundamental distinção, a mensagem da alegria se torna mera expressão de *hedonismo*, que determina o prazer como bem supremo, finalidade e fundamento da vida moral.

Deus — e a comunhão com ele — é a fonte da verdadeira, plena e duradoura alegria. Por isso Davi, pelo Espírito Santo, afirmou: "Tu me farás ver os caminhos da vida; *na tua presença há plenitude de alegria*, à tua direita, há delícias perpetuamente" (Sl 16.11). Partindo dessa premissa, o pecado é um assassino da verdadeira alegria, uma vez que nos desconecta da fonte. Daí o Senhor, por meio de Isaías, advertir que "as iniquidades de vocês fazem *separação* entre vocês e o seu Deus" (Is 59.2). Daí, também, Malaquias anunciar que as lágrimas dos israelitas estavam sendo ignoradas (Ml 2.13). O pecado nos desconecta da fonte da alegria, e não há remédio para isso senão o arrependimento que precede o perdão e a restauração divina.

No salmo 51, a confissão de arrependimento de Davi após seu pecado com Bate-Seba, lemos:

> Compadece-te de mim, ó Deus, segundo a tua benignidade;
> e, segundo a multidão das tuas misericórdias,
> *apaga as minhas transgressões.*
> *Lava-me completamente da minha iniquidade*
> *e purifica-me do meu pecado.*
> Pois eu conheço as minhas transgressões,
> e *o meu pecado* está sempre diante de mim.
> *Pequei contra ti*, contra ti somente,
> e *fiz o que é mau aos teus olhos,*

de maneira que serás tido por justo no teu falar
>   e puro no teu julgar.

Salmos 51.1-4

Essas palavras externam um patente arrependimento, que é o reconhecimento de que falhamos para com Deus. Mas elas são acompanhadas de uma oração de restauração que também precisa ser levada em conta:

> *Purifica-me* com hissopo, *e ficarei limpo*;
>   *lava-me*, e ficarei mais alvo do que a neve.
> Faze-me ouvir *júbilo e alegria*,
>   para que *exultem* os ossos que esmagaste.
> Esconde o teu rosto dos meus pecados
>   e apaga todas as minhas iniquidades.
> Cria em mim, ó Deus, *um coração puro*
>   e renova dentro de mim *um espírito inabalável*.
> Não me lances fora da tua presença,
>   nem me retires o teu Santo Espírito.
> *Restitui-me a alegria* da tua salvação
>   e sustenta-me com um espírito voluntário.

Salmos 51.7-12

O salmista entendia que não havia alegria fora da presença de Deus. E, se o Espírito Santo fosse retirado dele, a alegria da salvação também o seria. Ou seja, a alegria verdadeira, que Davi não encontrou no adultério, não é compatível com o pecado.

Em sua oração sacerdotal, Jesus intercede junto ao Pai pelos seus discípulos, "para que eles tenham *a minha alegria* completa em si mesmos" (Jo 17.13). Como podemos ter a alegria *dele* em nós? Na sequência, ele também ora: "*Santifica-os* na verdade; a tua palavra é a verdade" (Jo 17.17). Santificação produz alegria!

Em sua carta aos filipenses, Paulo destaca a importância de permanecer com eles e ajudá-los "para que progridam e tenham *alegria* na fé" (Fp 1.25). O progresso espiritual — no qual a santificação está inclusa — proporciona-nos alcançar a alegria "na fé". A alegria do Senhor não é compatível com o pecado, nem com nenhum retrocesso espiritual. Simples assim.

Estabelecido esse fundamento, volto ao assunto do processo inverso mencionado por Tiago. Se a vontade de Deus é transformar a tristeza em alegria, qual a razão de ordenar que convertamos a alegria em tristeza?

Basta distinguir os tipos de alegria: a *falsa* alegria do pecado e das gratificações da carne e a *verdadeira* alegria que emana da presença do Senhor. Quando o Pai celeste fala sobre transformar nossa tristeza, ele aponta para o resultado final que é a alegria *dele*. Porém, quando manda que convertamos a alegria em tristeza, não está se referindo a um retrocesso do que fez por nós; sua exigência é que nos livremos da falsa alegria que indevidamente ocupou espaço em nosso íntimo e substituiu a verdadeira alegria que dele procede.

Ao empregar a expressão "falsa alegria", não a limito apenas ao pecado. Estendo-a a qualquer forma de prazer que invada nossa vida como substituição da verdadeira alegria que procede da comunhão com Deus. Em meu livro *Até que nada mais importe*,[8] apresento um outro inimigo que, diferentemente do pecado, não aparenta ser tão perigoso: a *distração*. E quando alguém é enredado por ela, o erro normalmente não é mensurado pelo que se faz — que não costuma ser errado em si mesmo — e sim pelo que se troca a fonte da verdadeira alegria.

Por exemplo, Moisés admoestou, da parte do Senhor, aquela geração de israelitas que entraria em Canaã. Naquela terra eles desfrutariam das bênçãos prometidas pelo próprio Deus; ainda assim, foram advertidos de que, mesmo em meio às bênçãos celestiais, poderiam ser distraídos a ponto de substituir a verdadeira alegria do relacionamento com o Senhor por aquelas alegrias que, embora não fossem necessariamente pecaminosas, acabariam por levá-los a pecar e afastar-se do Altíssimo. O recado foi muito específico e intencional:

> — Tenham o *cuidado* de *não se esquecer do* SENHOR, seu Deus, deixando de cumprir os seus mandamentos, os seus juízos e os seus estatutos, que hoje lhes ordeno. Não aconteça que, *depois de* terem comido e estarem fartos, *depois de* haverem edificado boas casas e morado nelas; *depois de* se multiplicarem o seu gado e os seus rebanhos, e aumentar a sua prata e o seu ouro, e ser abundante tudo o que vocês têm, se eleve o seu coração e *vocês se esqueçam do* SENHOR, *seu Deus*, que os tirou da terra do Egito, da casa da servidão, que os conduziu por aquele grande e terrível deserto de serpentes abrasadoras, de escorpiões e de aridez, onde não havia água; e que fez sair água da rocha para vocês beberem; que no deserto os sustentou com maná, que os pais de vocês não conheciam; para humilhar vocês, para pôr vocês à prova e, afinal, lhes fazer bem.
> — Portanto, não pensem: "A minha força e o poder do meu braço me conseguiram estas riquezas." Pelo contrário, *lembrem-se do* SENHOR, *seu Deus*, porque é ele quem lhes dá força para conseguir riquezas; para confirmar a sua aliança, que, sob juramento, prometeu aos pais de vocês, como hoje se vê.
>
> Deuteronômio 8.11-18

Portanto, temos de distinguir os tipos de alegria apresentados nas Escrituras. Há a verdadeira alegria, procedente do Senhor e acessível aos que têm comunhão com ele. Mas também há as falsas alegrias que nos afastam dele, e nessa categoria enquadram-se tanto o pecado como as distrações.

Por outro lado, não podemos desconsiderar que também há tipos distintos de tristeza. A tristeza que o Senhor quer tirar de nós (quando a transforma em alegria) não é o mesmo tipo de tristeza que ele propõe a quem necessita de arrependimento. Paulo comentou essa diferença com os fiéis de Corinto:

> Porque, mesmo que eu tenha entristecido vocês com a minha carta, não me arrependo — embora já tenha me arrependido, pois vi que aquela carta os deixou tristes, ainda que por breve tempo. Mas agora *me alegro*, não porque vocês ficaram tristes, mas porque *essa tristeza os levou ao arrependimento*. Pois *vocês foram entristecidos segundo Deus*, para que, de nossa parte, não sofressem nenhum dano. Porque *a tristeza segundo Deus produz arrependimento para a salvação*, que a ninguém traz pesar; mas *a tristeza do mundo produz morte*.
>
> 2Coríntios 7.8-10

A "tristeza do mundo produz morte", enquanto "a tristeza segundo Deus produz arrependimento para a salvação". Obviamente, não são tristezas do mesmo gênero; não carregam nenhuma similaridade naquilo que produzem nas pessoas. Acerca da tristeza benéfica, segundo Deus, Hernandes Dias Lopes comenta:

> A tristeza segundo Deus é a ferida que cura, é a assepsia da alma, é a faxina da mente. É a tristeza que leva o homem a fugir do pecado para Deus, e não de Deus para o pecado. É a tristeza que leva o homem a abominar o pecado, e não apenas as consequências dele. A tristeza pelo pecado produz arrependimento verdadeiro, e o arrependimento atinge três áreas vitais da vida: razão, emoção e vontade.[9]

A respeito da tristeza maléfica, segundo o mundo, pode se afirmar que ela surge no momento em que se encerra a ilusão da falsa alegria, quando chega a conta do pecado com suas consequências. Penso que era sobre isso que Salomão falava quando escreveu:

> Há caminho que ao ser humano *parece direito*,
>   mas *o fim dele é caminho de morte*.
> Até *no riso o coração pode ter dor*,
>   e *o fim da alegria pode ser a tristeza*.
> O *infiel de coração sofre as consequências* dos seus próprios caminhos,
>   mas *quem é de bem é recompensado* pelo seu próprio proceder.
>
> Provérbios 14.12-14

Não há sabedoria fora da instrução divina, revelada nas Escrituras. Por isso, a Palavra de Deus nos adverte: "Confie no Senhor de todo o seu coração e não se apoie no seu próprio entendimento. Reconheça o Senhor em todos os seus caminhos, e ele endireitará as suas veredas" (Pv 3.5-6). Em outras palavras: "Confie que Deus está certo e que você não terá nenhuma ideia melhor que a dele. Paute seu caminho por aquilo que o Eterno diz e, dessa maneira, você se sairá bem".

Quando a Bíblia afirma que "até no riso o coração pode ter dor, e o fim da alegria pode ser a tristeza", isso está relacionado com as consequências que o infiel sofre por ter escolhido os próprios caminhos em vez dos caminhos de Deus. Ou seja, não se advoga aqui que a *verdadeira* alegria não seja duradoura; pelo contrário, defende-se que a *falsa* alegria termina em tristeza. E, considerando a adjetivação "de morte" dada a esse tipo de caminho, entende-se, também, que o resultado final da falsa alegria é a tristeza segundo o mundo, que produz morte.

O pecado jamais deve ser tolerado. Se houve queda deve haver pronto arrependimento. Aliás, a cultura do lamento pelos pecados nunca foi esperada só de quem pecou. O profeta Joel convocou os sacerdotes e ministros do altar a lamentarem a condição pecaminosa de sua nação (Jl 1.13-14). O profeta Daniel jejuou, lamentou e orou pelos pecados do seu povo, e até das gerações que o antecederam (Dn 9.3-19). O apóstolo Paulo também demonstrou postura semelhante quando mencionou aos coríntios o "receio de que, indo outra vez, o meu *Deus me humilhe* diante de vocês, e *eu venha a chorar* por muitos que, no passado, *pecaram e não se arrependeram* da impureza, da imoralidade sexual e da libertinagem que praticaram" (2Co 12.21).

Compreendemos, assim, que não há contradição em Deus, que transforma a tristeza em alegria, ordenar que convertamos a alegria em tristeza. Quando nós, que servimos a Deus, estamos tristes por *situações* (externas ou internas) *que não ferem o propósito divino*, ele disponibiliza meios para que essa tristeza se transforme na *verdadeira* alegria que procede dele. Porém, quando estamos iludidos com a *falsa* alegria do pecado (ou daquilo que nos distrai de Deus), que não é duradoura e termina em morte, Deus nos convoca ao abandono dessa falsa alegria por meio do *arrependimento* para que então, e somente então, voltemos ao ciclo a que ele se propõe: transformar aquela tristeza *segundo Deus*, gerada pelo arrependimento, naquela *verdadeira*, plena e duradoura alegria que dele emana.

Essa é a *única* tristeza proposta por Deus, temporária e com o claro objetivo de produzir restauração espiritual, inclusive da alegria. Ela não sabota a vontade dele, que inclui nossa alegria; pelo contrário, a garante. Talvez tenha sido justamente por isso que o grande escritor irlandês C. S. Lewis afirmou: "Minha ideia, independentemente do seu valor, é de que toda tristeza que não advenha do arrependimento de um pecado concreto e não caminhe depressa rumo à correção ou à restituição concreta ou que não tenha origem na piedade e não se apresse rumo a um assistencialismo ativo é simplesmente ruim".[10]

7

POR QUE VOCÊ ESTÁ CHORANDO?

Eu amo a descrição bíblica da ressurreição de Cristo! Certa ocasião me questionaram: "Se você pudesse ter sido testemunhar ocular de algum relato bíblico, qual seria sua escolha?". Nem titubeei. Disparei: "Eu escolheria a ressurreição de nosso Senhor!".

São vários os motivos. Porque a boa-nova do evangelho compreende não só a morte vicária de Jesus por nós como também o seu retorno dentre os mortos: "Cristo morreu pelos nossos pecados, segundo as Escrituras, e que foi sepultado e *ressuscitou* ao terceiro dia, segundo as Escrituras" (1Co 15.3-4). Porque sem o desfecho da ressurreição nossa redenção estaria incompleta: "Se Cristo não *ressuscitou*, é vã a fé que vocês têm, e vocês ainda permanecem nos seus pecados" (1Co 15.17). Porque a fé que salva implica o reconhecimento de que Jesus Cristo venceu a morte: "Se com a boca você confessar Jesus como Senhor e em seu coração crer que Deus o *ressuscitou* dentre os mortos, você será salvo" (Rm 10.9).

Mas a ressurreição também me fascina pelo impacto que produziu nas vida dos que testemunharam aquele evento extraordinário, os primeiros discípulos. Era com base nesse episódio que eles proclamavam: "Deus ressuscitou este Jesus, e disto todos nós somos testemunhas" (At 2.32). O livro de Atos registra, repetidas vezes, a centralidade da ressurreição para a mensagem apostólica. Diante das acusações dos líderes judeus, por exemplo, Pedro e os demais apóstolos afirmaram:

— É mais importante obedecer a Deus do que aos homens. *O Deus de nossos pais ressuscitou Jesus*, a quem vocês mataram, pendurando-o num madeiro. Deus, porém, com a sua mão direita, o exaltou a Príncipe e Salvador, a fim de conceder a Israel o arrependimento e a remissão de pecados. E nós somos *testemunhas* destes fatos — nós e o Espírito Santo, que Deus deu aos que lhe obedecem.

Atos 5.29-32

De acordo com os evangelhos, a primeira aparição do Cristo ressuscitado foi a Maria Madalena. É João quem apresenta o registro mais detalhado do episódio:

Maria [...] permanecia junto à entrada do túmulo, chorando. Enquanto chorava, abaixou-se, olhou para dentro do túmulo e viu dois anjos vestidos de branco, sentados onde o corpo de Jesus tinha sido colocado, um à cabeceira e outro aos pés. Então eles perguntaram:

— *Mulher, por que você está chorando?*

Ela respondeu:

— Porque levaram o meu Senhor, e não sei onde o puseram.

Depois de dizer isso, ela se virou para trás e viu Jesus em pé, mas não reconheceu que era Jesus. Jesus lhe perguntou:

— *Mulher, por que você está chorando? A quem você procura?*

Ela, supondo que ele fosse o jardineiro, respondeu:

— Se o senhor o tirou daqui, diga-me onde o colocou, e eu o levarei.

Jesus disse:

— Maria!

Ela, voltando-se, lhe disse, em hebraico:

— Raboni! ("Raboni" quer dizer "Mestre".)

Jesus continuou:

— Não me detenha, porque ainda não subi para o meu Pai. Mas vá até os meus irmãos e diga a eles: "Subo para o meu Pai e o Pai de vocês, para o meu Deus e o Deus de vocês."

Então Maria Madalena foi e anunciou aos discípulos:

— Eu vi o Senhor!

E contava que Jesus lhe tinha dito essas coisas.

João 20.11-18

Maria Madalena foi questionada duas vezes com a mesma indagação: "Mulher, por que você está chorando?". É evidente que não se tratava de uma busca por informação. Primeiramente, porque o motivo *era óbvio* e ela *já havia respondido* aos anjos quando o próprio Senhor a questionou. Em segundo lugar, porque o Cristo ressuscitado é onisciente, isto é, sabe todas as coisas. Logo, não era falta de conhecimento da resposta que o levava a indagar aquela mulher.

A meu ver, como na maioria das vezes em que o Deus onisciente faz perguntas aos seres humanos, a pergunta visava conduzir a uma *análise*. Por trás do questionamento "por que você está chorando?" havia um chamado à reflexão. Neste caso, poderia ser entendido mais ou menos assim: "Você realmente tem motivo para chorar?".

Choro desnecessário

O fato é que, da perspectiva divina, não havia razão alguma para o choro de Maria Madalena. Cristo não estava mais morto, havia ressuscitado! Seu corpo não fora roubado. Acontece que Maria ainda não havia sido informada de uma nova realidade, até então desconhecida, que logo interromperia seu choro. Uma vez "atualizada" da novidade, não haveria por que continuar a chorar.

Algo relativamente semelhante ocorre em uma das visões de João, em Apocalipse 5. Diante do livro selado com sete selos que pessoa alguma, "nem no céu, nem sobre a terra, nem debaixo da terra" conseguia abrir, João admitiu: "*eu chorava muito*, porque ninguém foi achado digno de abrir o livro, nem mesmo de olhar para ele". Então, um dos anciãos que ficavam diante do trono de Deus disse a João: "*Não chores*; eis que o Leão da tribo de Judá, a Raiz de Davi, venceu para abrir o livro e os seus sete selos" (Ap 5.1-6).

João chorava porque sua perspectiva estava errada — ou, no mínimo, incompleta. A notícia de uma nova realidade vem, então, acompanhada de um apelo para que ele não chore. Nessa nova perspectiva, não havia motivo para chorar. Penso que era isso que nosso Senhor procurava comunicar à Maria Madalena.

Permitam-me apresentar outra ilustração. Quando os irmãos de José o venderam como escravo, combinaram de mentir ao próprio pai para justificar a ausência do irmão. Em sua trama, visando corroborar a versão por eles combinada de que o irmão fora despedaçado por alguma fera, apresentaram as vestes de José rasgadas e ensanguentadas. Qual foi a reação de Jacó? O patriarca "rasgou as suas roupas, vestiu-se de pano de saco e *lamentou o filho durante muitos dias*". Embora seus filhos procurassem consolá-lo, ele se recusava, dizendo: "*Chorando*, descerei à sepultura para junto do meu filho" (Gn 37.34-36). Israel chorava porque, de sua perspectiva, seu querido filho José havia morrido. Apenas muitos anos depois, quando descobriria a verdade, ele entenderia que chorou enganado, sem motivo real.

Minha intenção aqui não é discutir por que Deus permitiu que Maria Madalena, João e Jacó acreditassem naquilo em vez de lhes revelar, de imediato, a verdade. É apenas pontuar que, se de alguma forma eles tivessem tido acesso à verdade, descobririam que não havia razão para chorar.

Ao longo do livro, já abordamos vários aspectos do choro e as maneiras pelas quais Deus pode transformar a tristeza em alegria. Descobrimos que há lágrimas que chamam a atenção de Deus e lágrimas que não o fazem. Conferimos também que, quando as lágrimas atraem a intervenção divina, dois tipos de mudança podem ocorrer: ou as circunstâncias mudam ou nós somos mudados. Aqui, almejo apresentar um outro aspecto da consolação divina: as ocasiões em que o Senhor nos faz enxergar que estamos chorando por algo desnecessário, devido à falta de informação de uma circunstância que *já* foi mudada. Essa intervenção divina se baseia na comunicação de alguma verdade que ignorávamos ou na atualização de um fato da qual não dispúnhamos. Ela envolve a troca da perspectiva humana, incompleta, pela perspectiva divina, completa.

Para que isso aconteça, todavia, é necessário que saibamos qual é a visão celestial dos fatos. O que nos remete à questão: como podemos conhecer a perspectiva divina? Maria e João receberam *explicações* acerca dela, e nós também podemos receber. Ainda que não seja por meio de uma visão extraordinária como se deu com eles, temos à nossa disposição tanto a Palavra de Deus como a possibilidade de receber a orientação do Espírito Santo que habita em nós.

Dois mundos, duas realidades

Em primeiro lugar, devemos reconhecer que convivemos com dois mundos distintos: o espiritual e o natural. Esses mundos, ou dimensões, também são denominados invisível e visível:

> Ora, a fé é a certeza de coisas que se esperam, a *convicção de fatos que não se veem*. Pois, pela fé, os antigos obtiveram bom testemunho. Pela fé, entendemos que o universo foi formado pela palavra de Deus, de maneira que *o visível veio a existir das coisas que não são visíveis*.
>
> Hebreus 11.1-3

A fé é apresentada como "a convicção de fatos que não se veem". Por que ela é tão necessária, a ponto de se afirmar, repetidamente, que "o justo viverá da fé" (Rm 1.17; Gl 3.11; Hb 10.38)? Porque temos de nos relacionar não apenas com o mundo da matéria, que se percebe pelos sentidos, mas também com o mundo espiritual. E justamente porque o plano espiritual é invisível aos olhos naturais é que se requer de nós a fé.

Muitas vezes, porém, na prática da vida cristã nós agimos como se nos relacionássemos apenas com o mundo visível. E a verdade é que essas duas realidades raramente estão alinhadas, em harmonia. O mais comum é que elas entrem em choque.

Um exemplo disso é o episódio em que o profeta Eliseu encontrava-se em Dotã e o rei da Síria mandou prendê-lo (2Rs 6.13). A descrição desse episódio é bastante elucidativa quanto ao tema que estamos abordando aqui:

> Então o rei enviou para lá cavalos, carros de guerra e *um grande exército*. Eles chegaram de noite e cercaram a cidade. O servo do homem de Deus levantou-se bem cedo e, ao sair, eis que tropas, cavalos e carros de guerra haviam cercado a cidade. Então o moço disse a Eliseu:
>
> — Ai, meu senhor! Que faremos?
>
> Ele respondeu:
>
> — Não tenha medo, porque *são mais os que estão conosco do que os que estão com eles*.
>
> E Eliseu orou e disse:
>
> — Senhor, peço-te que *abras os olhos* dele *para que veja*.
>
> O Senhor *abriu os olhos* do moço, *e ele viu* que o monte estava cheio de cavalos e carros de fogo, ao redor de Eliseu.
>
> 2Reis 6.14-17

O servo de Eliseu descobre, pela manhã, uma realidade diferente da noite anterior, quando foram dormir. A cidade estava cercada pelo exército inimigo. E foi essa constatação que deixou o moço temeroso e angustiado e o levou a questionar o homem de Deus: "Ai, meu senhor! Que faremos?".

Duas verdades importantes me chamam a atenção neste ocorrido. A primeira é que Eliseu está ciente do que seu moço ignora, ou seja, de que há dois mundos distintos, o visível e o invisível. A segunda é que cada dimensão tem a sua própria realidade.

O profeta fez uma afirmação que não podia ser atestada pela visão natural: "são mais os que estão conosco do que os que estão com eles". Nesse momento, a matemática de Eliseu parecia estar equivocada; a Bíblia enfatiza a existência de um *grande exército*, numeroso o suficiente para trazer desespero ao servo de Eliseu. A conta parece não bater. Por quê? Porque aquele rapaz estava olhando para uma única direção, ou melhor, para uma única dimensão. Seu foco recaía tão somente sobre o mundo natural, visível a seus olhos naturais. Por isso Eliseu orou para que Deus "abrisse os olhos" daquele moço. Somente assim ele perceberia o outro mundo.

Que "olhos" são esses pelos quais o profeta orou? São os olhos espirituais, a fim de que seu ajudante enxergasse uma realidade diferente da que os olhos naturais contemplavam: a realidade espiritual. E, quando o Senhor abriu os olhos do jovem, ele deparou, então, com a outra realidade: um exército espiritual cercando o homem de Deus e aquela cidade. Tratava-se de anjos, designados para defendê-los, em número superior ao exército humano que havia sido designado para prendê-los.

Você acha que se aquele rapaz permanecesse apenas com a visão natural ele teria reagido bem? De modo algum! O que o ajudou a ter a atitude correta — atitude que Eliseu já demonstrava — foi o seu acesso a uma realidade distinta daquela que tanto o perturbava.

De igual modo, há momentos na vida em que estamos abatidos, até aos prantos, por situações que não são, necessariamente, o veredicto final sobre aquela questão. Estamos vislumbrando apenas uma perspectiva: a natural. E, a exemplo do que fez com o servo de Elias, Deus pode abrir os nossos olhos espirituais e nos fazer enxergar aquilo que não perceberíamos apenas com a vista natural.

Uma das minhas primeiras experiências de transformação de percepção acompanhada de mudança de condição ocorreu logo no início do meu ministério. (Compartilho esse relato com mais detalhes em meu livro *O agir invisível de Deus*.[11]) Em 1993, sofri um acidente de carro no qual a minha vida, somente por um milagre, foi preservada. Os médicos e enfermeiros que me prestaram socorro atestaram isso: "Alguém lá em cima estava cuidando de você", disseram.

Entretanto, apesar do inegável livramento experimentado, eu passei um tempo de profunda tristeza e dor. Durante mais de um ano, questionei a Deus, continuamente, sobre a *razão* daquele acidente. Indagava não só por que aquilo havia acontecido, como também por que o Senhor havia permitido. Eu dizia, em minhas orações, que era grato ao Senhor por minha vida ter sido poupada, mas que não entendia por que o *acidente* não fora evitado. Às vezes tentamos ensinar a Deus como trabalhar em vez de apenas descansar em confiança, uma vez que ele sabe o que faz. Foi o que aconteceu comigo.

Um ano e três meses depois do acidente, quando eu estava sendo ordenado ao ministério pastoral, a perspectiva divina, invisível, me foi revelada de modo surpreendente. Três pastores oravam comigo e com os demais colegas que estavam sendo estabelecidos naquela equipe pastoral: Miguel Piper, Thomas Wilkins e Francisco Gonçalves. Cada um deles trouxe palavras proféticas muito precisas naquele momento, mas o Francisco falou dos segredos do meu coração de modo profundo e acurado. E só descobri o que aconteceu naquele dia cerca de um mês depois. Lanço mão de uma porção do livro já mencionado para repartir o episódio que me ajudou a entender o que ensino aqui:

> Enquanto o pastor Francisco orava por mim, Deus lhe abriu os olhos espirituais e ele viu um anjo em pé, ao meu lado. O mensageiro celestial se apresentou de maneira formal dizendo: "Fui enviado da parte do Deus Altíssimo para te fazer saber algumas coisas acerca destes ministérios (a referência no plural envolvia nós três). Você tem uma preocupação

muito grande por eles, mas Deus lhe faz saber que eles estão nas mãos do Senhor e que estão no lugar certo, na hora certa, fazendo a coisa certa." Após esta referência ao nosso ministério plural, a palavra passou a ser especificamente sobre a minha vida. [...]

E então veio a explicação pela boca do mensageiro celestial: "Ele estava avançando a níveis ministeriais sem que estivesse pronto, tratado para isso. Por isso foi necessário quebrar algumas pontes, mas ele é rebelde e não aceita o tratamento de Deus. Quanto àquele acidente do ano passado, diga-lhe que Satanás tentou tirar-lhe a vida, mas diga por que Deus o permitiu, embora sem deixar que a sua vida fosse tocada. O seu ministério estava crescendo muito rapidamente, sem que ele fosse trabalhado no íntimo, e, nesse ritmo, ele sucumbiria debaixo do peso do seu próprio ministério. Era somente uma questão de tempo. Por isso Deus o deteve, também para trazê-lo a esta cidade e submetê-lo ao Seu tratamento. E, quando ele estiver pronto, o Senhor o liberará para abençoar esta nação e lhe dará um ministério de proporções ainda maiores".[12]

Eu jamais teria imaginado vislumbrar uma perspectiva tão diferente daquela em que, em minha limitação da visão e compreensão meramente natural dos fatos, eu estava confinado. Mas o que foi comunicado mudava completamente minha visão de Deus e das circunstâncias pelas quais eu havia passado. Transcrevo outra porção do livro, na qual compartilho o resultado da nova percepção das coisas:

> O impacto desta mensagem foi e ainda é muito forte em minha vida. Até hoje, quando conto esta experiência, emociono-me, e, ao mesmo tempo, me envergonho. Muitas vezes eu questionei a justiça e a fidelidade de Deus por Ele ter permitido que esse acidente ocorresse. Eu não falava isso, mas repetidas vezes eu tinha esses pensamentos. E, enquanto eu assim O julgava no meu coração, Ele estava cuidando de mim! O Senhor estava me protegendo de algo pior; Ele não me abandonou naquela hora! Ele nunca nos abandona! Ele prometeu estar conosco

todos os dias, até a consumação dos séculos. Jamais haverá um dia sequer em nossas vidas que o Senhor não esteja ao nosso lado. O nosso problema é que tentamos compreender o agir de Deus, ao invés de confiarmos que Ele está no controle — mesmo que de um modo estranho aos nossos olhos e à nossa maneira de pensar.

O meu coração quebrantou-se quando eu entendi o que havia acontecido. Pedi perdão ao Senhor por não ter confiado n'Ele de todo o meu coração, por ter duvidado interiormente, e murmurado contra Ele. Eu sei que Deus me perdoou, mas até hoje sinto vergonha do papelão que fiz. Como fui tolo; insensato! Muitos cristãos têm feito exatamente isto. Ficam criticando a Deus, enquanto Ele os defende, protege e provê o Seu melhor para eles. Somos os únicos injustos (e também ingratos) nesta história, e não Deus.[13]

Penso que vivenciei algo muito parecido com aquilo que se deu com Maria Madalena. Foi como se o Senhor também estivesse me perguntando: "Por que você está chorando?". Os fatos que determinavam a realidade, ainda que anteriormente ocultos aos meus olhos, tornaram-se inquestionáveis. E, ao explicar-me o outro lado da história, aquele anjo me ajudou a constatar que eu não tinha motivo para ter chorado e sofrido tanto naqueles quinze meses seguintes ao acidente de carro. Deus estava cuidando de mim; ao contrário do que as circunstâncias e as emoções poderiam sugerir, ele não havia me abandonado um instante sequer.

Enxergando pela ótica da Palavra

Enfim percebi que, a despeito da minha ignorância, havia outra realidade que eu não havia levado em consideração. Naquela ocasião o Senhor também me disse que, embora tivesse me explicado o que se dera por trás daquele acidente, isso não significava que ele sempre fosse detalhar os processos que se dão fora da vista dos nossos olhos; ou seja, eu deveria aprender a confiar nele e enxergar a realidade do mundo espiritual através das lentes de sua Palavra.

O fato é que a visão do ajudante de Eliseu só confirmou a realidade que as Escrituras já apresentavam. "O anjo do Senhor acampa-se ao redor dos que o temem e os livra" (Sl 34.7). "Porque aos seus anjos ele dará ordens a seu respeito, para que guardem você em todos os seus caminhos" (Sl 91.11). Ou seja, não precisamos enxergar a realidade do mundo espiritual por meio de uma visão aberta para somente então tomar conhecimento dela. Se a Bíblia fala acerca daquilo, precisamos aceitar como verdade e, pela fé — a convicção das coisas que não se veem —, agirmos de acordo com aquela realidade.

Sim, aquela experiência foi profundamente marcante em minha vida. A dor que senti na crise posterior ao acidente não foi pelas perdas materiais. Era o sentimento de abandono, a percepção equivocada de que Deus não estava cuidando de mim. Todavia, as lágrimas que derramei, a angústia que enfrentei, não tinham o menor sentido diante da nova percepção. Assim como Maria Madalena constatou que Cristo não estava morto e seu corpo não fora roubado, eu também pude constatar que o Pai celeste nunca deixou de estar ao meu lado e cuidar de mim.

Mas a verdade é que essa percepção já estava revelada em sua Palavra. Foi Deus mesmo quem disse: "De maneira alguma deixarei você, nunca jamais o abandonarei" (Hb 13.5). Cristo, antes de subir aos céus, prometeu: "Eis que estou com vocês todos os dias até o fim dos tempos" (Mt 28.20). O evangelho de Mateus começa com a descrição da entrada de Jesus neste mundo em forma humana, enfatizando sua revelação como *Emanuel*, o "Deus conosco". Não é maravilhoso que o mesmo evangelho termine descrevendo o retorno de Cristo aos céus sem privar-nos, contudo, de sua presença?

O grande impacto que a mensagem daquele anjo teve sobre minha vida, em novembro de 1994, foi ajudar-me a compreender que, na verdade, não precisamos de explicações angelicais para os desafios que enfrentamos. Basta aceitar a veracidade da Palavra de Deus e se deixar ser guiado por ela! A realidade de que Deus está comigo, em todo tempo e em todas as circunstâncias, já foi revelada. Está escrito! Aquele anjo só me ajudou a entender que eu deveria ter levado aquilo a sério, confiado mesmo sem entender.

A ótica do Espírito Santo

Há momentos em que enfrentamos situações para as quais não dispomos de orientações específicas das Escrituras. Ainda assim, em tais momentos podemos usufruir dos benefícios de nosso relacionamento com o Espírito Santo.

É surpreendente observar no livro de Atos como os primeiros discípulos desfrutavam dessa comunicação com o Espírito de Deus. Observe um exemplo: "Enquanto Pedro meditava a respeito da visão, *o Espírito lhe disse*: — Estão aí três homens à sua procura. Portanto, levante-se, desça e vá com eles, sem hesitar; porque eu os enviei" (At 10.19-20). Essa informação se deu no âmbito pessoal; ou seja, acompanhar aqueles homens, ciente de que Deus os enviara, não foi uma decisão determinada por alguma instrução específica das Escrituras. Mais adiante, com os desdobramentos daquele episódio, quando a salvação se manifestou aos gentios na casa de Cornélio, os apóstolos sentiram a necessidade de fundamentar, pela Palavra de Deus, a doutrina geral a respeito da vontade do Senhor para com os não judeus. A orientação divina a Pedro, contudo, tinha caráter personalizado: dizia respeito ao que Deus esperava justamente daquele apóstolo, exatamente naquele momento.

Recordo-me de uma ocasião específica em que eu me encontrava abatido por uma série de circunstâncias. Dentre elas, a que parecia ser a mais irrelevante começou a ganhar espaço em meu íntimo. Em 2002, depois de nove anos auxiliando no pastorado da Comunidade Vida, em Guarapuava, no interior do Paraná, senti-me dirigido pelo Senhor a avançar para uma nova fase ministerial que envolveria a plantação de outras igrejas. Entendi claramente, enquanto orava pelo assunto, que o Senhor me chamava a um lugar de profunda dependência dele e decidi atender ao desafio de não aceitar salário algum naquele novo estágio. Convidei várias famílias, de diversas cidades, a unirem-se a mim naquele projeto, e nos mudamos para Irati, a uns cem quilômetros de distância de onde morávamos. Agora, além de não ter sustento pessoal definido, eu ainda teria a responsabilidade de suprir outras seis famílias além da minha. Em razão disso, a fim de investir naquela visão, eu e minha esposa, a Kelly, vendemos tudo o que tínhamos: a casa e o carro. A venda dos meus livros se tornou a principal fonte de recursos para seguir investindo nos desafios que se seguiriam, e nunca nos arrependemos de nenhum sacrifício feito em prol do reino de Deus.

Passados uns dois anos e meio do início daquele novo trabalho, dentro da visão de seguir plantando igrejas, nós nos mudamos para Curitiba, onde ofertamos, ainda no primeiro ano daquele novo projeto, outros dois carros. Vivíamos para servir a Deus e às pessoas, para doar o que tínhamos, e a nós mesmos, pela causa do evangelho.

Entretanto, a certa altura, depois de me dar conta de que havia muito tempo eu não recebia nenhum presente ou expressão de reconhecimento das pessoas a quem eu servia em tantos lugares, um incômodo começou a instalar-se dentro de mim. E então aquele incômodo evoluiu, tornando-se cada vez mais amargo. Uma tristeza passou a me dominar. Eu me pegava pensando frequentemente no que entendia ser uma falta de gratidão por todos os nossos esforços de doação, embora procurasse me consolar com a ideia de que estava fazendo aquilo primeiramente para Deus. No entanto, outro sentimento, de modo sútil, sorrateiro, também começou a permear meus pensamentos: depois de tanto plantio, onde estava a colheita? Estávamos sem um automóvel e, em poucos anos, já havíamos ofertado vários, para não falar de nossa casa.

Certa noite, eu não conseguia dormir e aproveitei para, na cama mesmo, orar baixinho, enquanto minha esposa dormia ao meu lado. As lágrimas corriam pelo meu rosto, e não eram de quebrantamento; elas pareciam extravasar um sentimento de decepção. Fui honesto com Deus; abri o coração e desabafei. Mesmo ciente de que o Deus onisciente não dependia da minha confissão para saber o que se passava comigo, entendia que precisava reconhecer minha condição diante dele e buscar ajuda.

E, aos poucos, enquanto orava e chorava, o sono parecia estar prevalecendo. Não sei se adormeci ou se entrei em um estágio de consciência espiritual; a verdade é que não tenho explicação para o que aconteceu naquele momento. Recordo que, de repente, uma voz doce e firme falou comigo: "Você foi enganado! Eu não deixei de cuidar de você ou de reconhecer o que você tem feito. E nem as pessoas que você tem servido. Neste exato momento, há uma mobilização da parte da igreja para presenteá-lo com um carro".

Despertei num salto e sentei-me na cama. A perspectiva havia mudado, tanto sobre Deus como sobre minha família da fé. Enxerguei a armadilha maligna na qual estava me permitindo cair. Tudo havia mudado! Os sentimentos se alinharam à nova percepção. Empolgado, acordei minha esposa para contar para ela. Eu dizia: "Nós vamos ganhar um carro!", enquanto ela me olhava com uma cara sonolenta tentando entender o que estava acontecendo. Expliquei que o Senhor havia falado comigo sobre uma mobilização entre os irmãos da igreja para nos presentear, e ela apenas respondeu: "Que legal". Deduzi, pela falta de surpresa da parte da Kelly, que já a haviam informado dessa dádiva. "E você, pelo jeito, já sabia", eu disse. Ela tentou desconversar e encerrei a conversa dizendo que a ajudaria a não ter de mentir para "proteger" a surpresa. Deitei novamente e percebi que não havia mais tristeza; pelo contrário, a alegria parecia saltar dentro de mim. Não se tratava do automóvel que me presenteariam, mas sim de uma nova percepção acerca de Deus, das pessoas, das circunstâncias. Alguns dias depois, eu de fato ganhei o automóvel. Os irmãos só estabeleceram uma condição antes de o entregarem a mim: por um ano eu não poderia ofertá-lo.

E não, o Senhor não estragou aquela surpresa! O contexto em que a história se deu, a forma como ocorreu, até o modelo de carro que me ofertaram, tudo foi surpreendente. Mas o melhor foi a mensagem divina que tanto me impactou como também me ensinou a não aceitar as "setas malignas" que o inimigo dispara contra nossa mente e nossas emoções. Essa foi uma das versões personalizadas que tive do questionamento divino: "Por que você está chorando?".

A terceira mudança

Anteriormente, argumentei que dois tipos de mudança podem ocorrer quando o Senhor se atenta para as nossas lágrimas: ou as circunstâncias mudam ou nós é que somos mudados. Neste capítulo acrescento um terceiro aspecto de mudança: aquela que se dá em nossa *perspectiva*. Embora, em certo sentido, ela esteja atrelada à segunda mudança — a que se relaciona com o processo do lado de dentro, e não de fora —, acredito que também possamos separá-lo como uma terceira possibilidade de mudança, que implica uma combinação das duas anteriores.

Quando o Espírito Santo falou comigo sobre aquela surpresa do carro, ele tanto anunciou uma mudança exterior, nas circunstâncias, como também produziu uma mudança interior, nas emoções. Entretanto, além das mudanças internas e externas, houve também mudança de percepção; além de compreender uma realidade diferente daquela que estava enxergando, também vislumbrei algo melhor sobre como Deus e as pessoas nos tratam.

Uma experiência singular que tive com essa descoberta de uma *realidade diferente* ocorreu por ocasião do parto do Israel, meu primogênito. Antes, porém, de relatar o episódio propriamente dito, preciso apresentar o pano de fundo da história.

Antes mesmo que a Kelly engravidasse, o Senhor falou comigo acerca do meu filho. Eu estava subindo as escadas do prédio em que morava quando ouvi uma voz que, nitidamente, anunciou: "Eu lhe darei um filho homem, e ele será chamado pelo meu nome". Impactado, entrei em casa já comunicando à minha esposa: "Amor, aquela garotinha que a gente tanto quer vai ter de esperar. A sua primeira gravidez vai ser a de um garoto, e o nome dele deverá começar ou terminar com a expressão *El* (que, em hebraico, é o nome para Deus)". Algum tempo depois, a gravidez se concretizou e a primeira ecografia confirmou a palavra que eu havia recebido: era um menino ou, como dizemos no Paraná, um "piá".

Lá pela metade da gestação, a Kelly teve um sonho. O Senhor falou com ela que deveríamos dar o nome de *Israel* ao nosso filho e explicou-lhe que o significado do nome ("Deus prevalece") estava ligado ao propósito da vida dele. O menino teria lutas — com Deus ao seu lado e não *contra* ele —, mas prevaleceria sob o favor divino. Então, quando a hora do parto se aproximava, o Espírito Santo falou comigo novamente em um momento de oração e advertiu-me de que eu deveria orar e jejuar, pois enfrentaria uma grande batalha por ocasião do nascimento do meu filho. Diante de tal revelação, comecei a jejuar imediatamente e estendi aquela batalha de oração por seis dias, até que o testemunho interior do Espírito Santo me deixou convicto de que a vitória havia sido alcançada. Dito isso, o que compartilho a seguir fará mais sentido.

Em nossa última consulta pré-natal, o obstetra demonstrou preocupação com uma repentina aparição de sintomas até então inexistentes. A pressão da Kelly subiu muito e ela havia começado a inchar, como se houvesse uma retenção de líquidos bastante acima do comum. Minha esposa queria muito um parto normal, mas o médico a alertou, naquela última consulta, dos riscos de seguir esperando. Isso foi pela manhã; ele nos pediu que regressássemos à tarde, já com as malas prontas, para uma intervenção cirúrgica; uma cesárea se fazia urgente ainda naquele dia.

Logo após o almoço, a Kelly começou a insistir para que fôssemos para a clínica. Eu dizia que ainda era cedo, que ela não precisava ficar ansiosa, até que ela me convenceu com um argumento simples. Com o rosto carregado de preocupação, e aparentando até mesmo um pouco de dor, ela disse: "Estou incomodada porque percebi, ao tomar banho, um pequeno sangramento". Foi o suficiente para que eu disparasse com ela para a maternidade. Tão logo chegamos, ela comunicou à recepcionista que precisava que o médico a examinasse com urgência porque ela estava com uma hemorragia. Levei um susto! Havia uma enorme diferença entre o "pequeno sangramento" que me fora comunicado e uma "hemorragia". Ela foi rapidamente encaminhada para um quarto, onde pediram-lhe que vestisse aqueles trajes apropriados para os procedimentos cirúrgicos.

Entre a breve ida do quarto ao banheiro, dentro da própria suíte em que nos encontrávamos, constatei o chão sendo banhado de sangue. O médico comentou, posteriormente, que acreditava que minha esposa perdeu, ao todo, de dois a três litros de sangue. Recordo-me dele pegando o telefone do quarto e falando, com visível tom de preocupação, que reunissem toda a equipe para uma "emergência emergencial". Ajudei a colocar a Kelly numa maca e levá-la para o centro cirúrgico. Pediram-me que aguardasse do lado de fora e que, na hora certa, alguém me chamaria para assistir ao parto — acordo que eu já havia previamente firmado com o doutor.

Confesso que foi um dos momentos mais difíceis da minha vida. Eu orava por meus filhos desde solteiro. Intensifiquei as orações depois do casamento e, após a constatação da gravidez, passei a orar diariamente. Além disso tudo, houve aquela advertência para que orasse e jejuasse pelo momento do parto. Essa série de eventos me levara a acreditar que o parto seria o mais tranquilo possível.

Naquele instante, porém, o mundo parecia estar desabando. Eu estava assustado, desesperado, atônito. Não sabia o que pensar ou orar. Apenas sussurrava, no íntimo, para que Deus falasse comigo. Mas nada parecia acontecer, a não ser o peso daquele pavor incontrolável que crescia dentro de mim. Até que, de repente, o Espírito Santo falou ao meu espírito: "Abra a Bíblia no livro de Isaías".

O primeiro presente que recebi dos meus pais, após meu nascimento, foi uma Bíblia. Eu decidi manter "a tradição do clã" e fiz o mesmo com meus dois filhos. Portanto, naquele momento, eu carregava comigo um exemplar do Livro Sagrado. Abri, então, as Escrituras e, mesmo sem procurar nada específico, deparei com uma porção do livro de Isaías:

Como a *mulher grávida que vai dar à luz se contorce e grita de dor,*
  assim estávamos nós na tua presença, ó S<small>ENHOR</small>!

Isaías 26.17

O assunto do versículo obviamente chamou a minha atenção. Minha esposa entrou em trabalho de parto enquanto era levada ao centro cirúrgico. Portanto, deduzi que o Senhor queria falar comigo sobre aquele momento. Então li o versículo seguinte:

Concebemos e nos contorcemos em dores de parto,
  mas *o que demos à luz foi vento;*
não trouxemos à terra livramento algum,
  e *não nasceram moradores do mundo.*

Isaías 26.18

Foi então que senti aquele choque interior, uma verdadeira explosão de sentimentos e pensamentos conflitantes. A indagação dentro de mim era: "Sério? O Senhor está me dizendo que esta gravidez, e agora estas dores de parto, vão dar em nada? Que não vai nascer um morador do mundo? Para isso eu não precisava de nenhuma palavra tua, as circunstâncias já estão gritando essa possibilidade!".

Então o Espírito de Deus falou mais uma vez em meu íntimo: "Leia o versículo seguinte!". A percepção que tive foi de que, desta vez, aquela voz interior não parecia tão doce ou amável como de costume. Sabe quando um filho percebe, pelo tom de voz do pai, que vai levar uma bronca? Foi exatamente o que senti. Então, li o versículo seguinte:

Os teus *mortos* e também o meu cadáver *viverão e ressuscitarão*.
    Despertem e cantem de alegria, vocês que habitam no pó,
porque o teu orvalho, ó Deus, será como o orvalho de vida,
    e a terra dará à luz os seus mortos.

Isaías 26.19

O Espírito Santo seguiu falando, naquele tom de advertência: "Eu não lhe disse que lhe daria um filho? E que ele seria chamado por meu nome? Não escolhi o nome do garoto? Não o adverti de que você enfrentaria uma grande batalha neste momento?". E eu finalmente compreendi que a mensagem que ele estava me comunicando era a seguinte: "Você acha que estou brincando com você? Que depois de lhe falar tudo isso o desfecho seria a morte? Que eu prometeria algo para depois voltar atrás?". E, em resposta a esse entendimento, brotou dentro de mim uma gigantesca convicção, um verdadeiro "surto de fé".

Levantei-me naquele momento, entendendo que estava diante de uma realidade espiritual diferente, e comecei a repreender o espírito de morte que tentava tocar meu filho. Passei a visualizar e declarar a realidade que o Espírito Santo me mostrara. O resultado? Uma intervenção divina que não só produziu mudanças em meu íntimo como também nas circunstâncias. Quase três anos depois do parto do Israel, o médico ainda se referia a ele como "o menino-milagre"; certa vez, chegou a enviar uma pessoa, sem esperança por parte da medicina, para buscar ajuda conosco, dizendo: "Aquele pessoal entende de oração e fé".

Não estou afirmando que toda e qualquer situação será, necessariamente, revertida por oração e fé. Mas de fato há momentos em que, se formos sensíveis ao direcionamento divino, perceberemos que estamos chorando desnecessariamente, por mera falta de percepção de uma realidade diferente. Então, o que nos resta, em tais momentos, é um posicionamento que faça jus a essa nova percepção.

8

REAÇÃO E SUPERAÇÃO

Já constatamos que lidar com a dor, o sofrimento e o choro faz parte da jornada da vida. Demonstramos, também, que as lágrimas não precisam durar para sempre. E cabe lembrar que, além da capacidade de superação que Deus concedeu ao ser humano, ainda há a graça divina à nossa disposição. Em outras palavras, podemos e devemos reagir às dores, a fim de superá-las. Podemos escrever uma história diferente mesmo depois das perdas.

Há um relato bíblico sobre reação e superação que me instrui e me inspira. Antes, porém, de compartilhar essa história do Antigo Testamento, quero ajudá-lo a olhar para ela da forma correta.

Qual é a importância de um episódio da história de Israel, da velha aliança, na vida dos cristãos hoje, que vivem sob a nova aliança? Esse é um questionamento válido. Paulo atestou que "tudo o que no passado foi escrito, para o nosso ensino foi escrito, a fim de que, pela paciência e pela consolação das Escrituras, tenhamos esperança" (Rm 15.4). O apóstolo também afirmou que os episódios da antiga aliança são mais que detalhes da história e da cronologia de um povo; eles servem para orientar e corrigir a nós, o povo da nova aliança: "Estas coisas aconteceram com eles para servir *de exemplo* e foram escritas *como advertência* a nós, para quem o fim dos tempos tem chegado" (1Co 10.11).

O próprio Senhor Jesus utilizou detalhes de relatos do Antigo Testamento a fim de instruir seus discípulos, e também os encarregou de retransmitirem esses ensinamentos aos novos discípulos que eles fariam (Mt 28.20). O Mestre falou acerca de Abraão, de Moisés, de Davi, de Salomão, de Elias, de Jonas, entre outros cuja história está registrada nas Escrituras. Dito isso, passemos ao relato que agora examinaremos:

> O filho de *Efraim* foi Sutela, de quem foi filho Berede, de quem foi filho Taate, de quem foi filho Eleada, de quem foi filho Taate, de quem foi filho Zabade, de quem foi filho Sutela; e ainda *Ézer e Eleade, mortos pelos homens de Gate*, naturais da terra, pois eles foram roubar o gado destes. Efraim, seu pai, *chorou por eles muitos dias*, e *os irmãos dele foram consolá-lo*. Depois, teve relações com sua mulher, ela ficou grávida e teve um filho, a quem ele chamou Berias, *por causa da desgraça que sua família havia sofrido*. Sua filha foi Seerá, que edificou Bete-Horom-de-Baixo e Bete-Horom-de-Cima, bem como Uzém-Seerá.
>
> O filho de Berias foi Refa, de quem foi filho Resefe, de quem foi filho Tela, de quem foi filho Taã, de quem foi filho Ladã, de quem foi filho Amiúde, de quem foi filho Elisama, de quem foi filho Num, *de quem foi filho Josué*.
>
> 1Crônicas 7.20-27

A Bíblia fala aqui de uma família que, embora tenha sofrido uma desgraça, superou a dor e ainda acabou por contribuir com a nação ao gerar um dos maiores líderes da história de Israel. Efraim, filho de José e neto de Jacó, perdeu dois de seus filhos, assassinados pelos filisteus. Viveu a dor do luto e o choro, mas posteriormente experimentou também a consolação e a superação.

Alguns comentaristas bíblicos questionam se de fato se tratava de Efraim, filho de José, ou se era algum outro Efraim, homônimo.

Entretanto, desde o capítulo anterior, o foco está na genealogia dos filhos de Jacó; começando pelos filhos de Judá e Simeão, no capítulo 4, de Rúben e Gade, no capítulo 5, de Levi no capítulo 6, passando pelos descendentes de Issacar, Benjamim, Naftali, Manassés, Efraim e Aser, todos estes no capítulo 7 de 1Crônicas. Portanto, o padrão retratado na seção refere-se aos filhos de Israel; não tenho dúvidas disso.

Acredita-se que esse episódio se deu por volta de 1660–1665 a.C.[14] À época, os filhos de Israel moravam no Egito, de modo que a lógica aqui aplicada é simples: Efraim, filho de José, nasceu no Egito e seu povo ali permaneceu por um total de 430 anos (Êx 12.41). Gate (a cidade do gigante Golias, a quem Davi derrotaria séculos depois) se encontrava na terra dos filisteus, nos arredores de Canaã, onde os israelitas haviam anteriormente morado. Após a mudança para o Egito, a família de Jacó provavelmente não perdeu por completo o contato com a terra de Canaã, visto que faziam negócios por toda a região quando ainda moravam em território cananeu; logo, não seria improvável que os filhos de Efraim se estendessem até as fronteiras da região (isto é, até Gate) em suas empreitadas comerciais.[15]

Há uma dificuldade de interpretação quanto a quem estava roubando gado: os filhos de Efraim ou os homens de Gate. A Nova Almeida Atualizada (NAA), cujo texto foi transcrito acima, parece mencionar como autores do roubo Ézer e Eleade, que foram "mortos pelos homens de Gate, naturais da terra, pois eles foram roubar o gado destes" (1Cr 7.21). A Nova Versão Transformadora (NVT) é mais explícita: "Estes dois foram mortos quando tentavam roubar o gado de moradores dos arredores de Gate". Possivelmente, então, os filhos de Efraim saíram do Egito rumo à Palestina e tentaram roubar o gado dos filisteus.

A perda simultânea de dois filhos foi um golpe devastador para Efraim, como seria para qualquer pai que se importa com seus filhos. A morte decorrente de uma tentativa de roubo de gado alheio talvez tenha acrescentado vergonha à dor que já havia se instalado na vida daquele filho de José. O fato é que o texto enfatiza que "Efraim, seu pai, *chorou por eles muitos dias*" (1Cr 7.22).

Do choro à superação

Apenas para efeitos didáticos, quero dividir em etapas essa história de Efraim que estamos analisando.

O choro

Depois da perda de seus filhos, a primeira coisa que Efraim fez foi chorar; e fez isso por muitos dias. Diante disso, reconheço a importância de algo que muitos relutam em aceitar: aprender a externar a dor. Essa é uma lição importante. Muitos negam sua dor, sua perda e nunca extravasam o que está no interior; isso é um erro. Não concordo que "homem não chora", como diz o antigo ditado popular. Jesus chorou, e vários homens de Deus, como demonstram as Escrituras, também choraram. Chorar faz bem. Mais que um desabafo, trata-se de um reconhecimento, perante Deus, de nossa limitação e impotência.

Entretanto, como já abordamos anteriormente, é fundamental compreender que o choro não é um ato contínuo; ele tem prazo de validade, tem tempo para durar e terminar. Ou seja, chore, mas recuse-se a viver chorando.

O consolo

A segunda coisa que Efraim fez foi se deixar consolar. A Bíblia revela que "os irmãos dele foram consolá-lo". A palavra traduzida do hebraico por "irmãos" é *'ach*, que se refere tanto a irmãos de sangue como a outros parentes, e até mesmo aos compatriotas de modo geral. Tendo em vista que Efraim só tinha um irmão, Manassés, e a nação era ainda pequena, pode ser que a palavra aqui empregada sugira os parentes de convívio mais próximo. A segunda lição que o filho de José nos oferece, portanto, é que precisamos aprender a receber consolação e encorajamento dos irmãos, seja de sangue, seja da fé.

Infelizmente, na hora da dor, alguns isolam-se e desconectam-se das pessoas que poderiam fortalecê-los. O livro de Provérbios aponta que "o solitário busca o seu próprio interesse e se opõe à verdadeira sabedoria" (Pv 18.1). Ou, conforme a tradução da NVT: "Quem vive isolado se preocupa apenas consigo e rejeita todo bom senso".

Com base nesse provérbio, meu amigo Danilo Figueira comenta que "a atitude de isolamento é egoísta, rebelde e burra". E explica: "*Egoísta* porque busca seu próprio interesse, *rebelde* porque é um ato de oposição e insurreição e *burra* porque é contrária à verdadeira sabedoria". Resumindo, não é sábio isolar-se. Somos seres sociais, criados para o convívio comunitário, e precisamos uns dos outros.

Os irmãos de Efraim terem ido ao encontro dele a fim de consolá-lo é algo admirável. Todavia, se ele não estivesse receptivo a eles, de nada adiantaria. É inegável que eles tiveram um papel relevante e determinante na questão do consolo.

Acho que cabe aqui distinguir *empatia* de *consolo*. A Bíblia diz que devemos chorar com os que choram (Rm 12.15). Acontece que somente chorar pode significar simples empatia, identificação com a dor do outro sem que isso resulte numa ação concreta em favor dele. Mas podemos e devemos ir além disso; a Escritura também determina que consolemos uns aos outros (2Co 13.11; 1Ts 5.11). Portanto, mais que chorar junto, mais que apenas entender a dor do outro, devemos oferecer consolo. Matthew Henry, notável comentarista bíblico do século 17, afirmou sobre a consolação dos irmãos de Efraim:

> Foi um ofício fraterno e amigo que os irmãos desempenharam, quando vieram consolá-lo sob esta grande aflição, para expressar sua compaixão

por ele e preocupação com ele, e para sugerir a ela aquilo que iria apoiá-lo e tranquilizá-lo sob esta triste providência. Provavelmente eles o lembrassem da promessa de aumento com que Jacó o tinha abençoado quando colocou sua mão direita sobre a sua cabeça.[16]

Portanto, receber consolo de amigos, parentes e irmãos na fé é algo precioso. Não nos esqueçamos, porém, que acima de tudo e em primeiro lugar devemos aprender a buscar forças em Deus, como fez Davi (1Sm 30.6). Até porque o Senhor estará conosco ainda que ninguém mais esteja. Paulo, já no final de sua jornada terrena, afirmou acerca de determinado julgamento que enfrentou: "Na minha primeira defesa, *ninguém apareceu para me apoiar*; todos me abandonaram. Que isso não lhes seja cobrado. Mas *o Senhor permaneceu ao meu lado e me deu forças*" (2Tm 4.16-17, NVI). Que bom é contar com irmãos para nos consolar; ainda melhor, porém, é saber que o Senhor prometeu estar conosco "todos os dias até o fim dos tempos" (Mt 28.20) e nunca nos deixar, nunca nos abandonar (Hb 13.5).

A superação

A terceira coisa que o neto de Jacó entendeu e praticou, depois daquele tempo de dor e lágrimas, foi a superação. E a lição que ele comunica ainda hoje é: "Siga adiante! Não pare, a vida continua!".

A Palavra de Deus relata que Efraim, "*depois*, teve relações com sua mulher, ela ficou grávida e teve um filho" (1Cr 7.23). Depois do quê? Da consolação recebida de seus irmãos! Alguma chave virou dentro de Efraim, e ele decidiu prosseguir. É lógico que filhos são insubstituíveis; sei muito bem disso. Sou o segundo de três filhos homens que meus pais criaram; mas era para termos uma irmã caçula, a Liliana, que viveu apenas dois dias e faleceu. Meus pais não se deixaram desestruturar por isso, foram sustentados por Deus e tinham outros filhos para criar; mas não se falava muito sobre isso lá em casa. A impressão que eu tinha era que minha mãe, em particular, preferia evitar o assunto; depois de adulto, no entanto, pude ouvir a versão de como Deus a consolou e fortaleceu depois da sua perda. Parece-me que a superação, nos casos de luto, não diz respeito a esquecer quem perdemos, e sim a seguir a vida aceitando aquela perda.

Entenda bem: Efraim não ignorou a dor que carregava. Deu ao filho gerado depois do consolo, no início da fase de superação, o nome Berias "por causa da desgraça que sua família havia sofrido". (A palavra Berias tem um som parecido com o do termo hebraico que significa "tragédia" ou "desgraça".[17]) Com isso, o tataraneto de Abraão admitiu que os sentimentos ainda não haviam "voltado ao normal". Por outro lado, a determinação de seguir em frente já havia sido despertada, apesar da dor que ainda seria, gradualmente, superada.

Superar não é esquecer o que nos feriu. É reerguer-se e vencer a paralisia causada pela dor. E de fato, não obstante a dor da perda de dois filhos, Efraim dispôs-se a recomeçar, a buscar novamente concretizar a bênção que seu avô Jacó lhe dera ao designá-lo como aquele cuja "descendência será uma multidão de nações" (48.19), muito embora seu irmão, Manassés, fosse o mais velho, a quem deveriam pertencer os direitos de primogenitura. Esse era o plano divino revelado para a linhagem de Efraim, que de tão numerosa passou a ser uma designação para toda a nação de Israel no período do reino dividido.

Já observei, e intencionalmente repito, que não se deve confundir recomeço com substituição. O propósito deste capítulo é distinguir entre esquecimento do que nos fez chorar e superação. Não falo de deletar as memórias, especialmente se existe a perda de um ente querido; devemos carregar e honrar esse tipo de lembrança. Mas não podemos viver paralisados em função da dor. Não só porque há outros familiares para ser amados e atendidos, mas, acima de tudo, porque há um propósito divino a ser cumprido. Na superação, muitas vezes se faz necessária uma revisão das memórias.

Talvez um exemplo a ser considerado sobre esse tipo de restauração divina seja o do próprio pai de Efraim, José. Depois de traído por seus irmãos, vendido como escravo e preso injustamente, sua sorte mudou. Aquele homem saiu da humilhação para a exaltação, mas em todo tempo reconheceu a mão de Deus com ele. Assim, quando reencontra os irmãos, ele os conforta, mostrando que, a despeito da maldade deles, o Senhor havia transformado o mal em bem (Gn 50.20). Como José conseguiu demonstrar tamanha estabilidade emocional diante de tudo o que sofreu? Como chegou ao ponto de, em vez de vingar-se, pagar o mal com o bem? Há uma informação bíblica que não pode ser ignorada, se queremos entender a história de José. Antes de reencontrar os irmãos que tanto o maltrataram, ele admite uma intervenção divina em duas áreas específicas de sua vida; os nomes de seus filhos foram dados em evidente relação com estes eventos:

> Antes de chegar a fome, *nasceram dois filhos a José*, os quais lhe deu Asenate, filha de Potífera, sacerdote de Om. Ao primogênito José chamou de Manassés, pois disse: "*Deus me fez esquecer* todo o meu trabalho e toda a casa de meu pai." Ao segundo deu o nome de Efraim, pois disse: "*Deus me fez próspero* na terra da minha aflição."
>
> Gênesis 41.50-52

A chegada do primeiro filho é celebrada com a associação de um tipo de auxílio dos céus: "Deus me fez esquecer". Note que a frase não foi "o tempo me fez esquecer". O esquecimento — que não era amnésia, pois ele obviamente se lembrava dos irmãos quando os reencontrou — era, na verdade, uma revisão divina nas memórias. Era fruto de uma percepção profética de que o Altíssimo ainda estava no controle, não o havia abandonado e ainda queria que José servisse a sua família.

No nascimento de Efraim, José reconheceu que Deus o fez próspero na terra da sua aflição. Entendemos, portanto, que da mesma forma que ele admite que não teria prosperado por si só, sem o favor divino, reconhece também que Deus o fez esquecer aquilo de que, por conta própria, ele não teria conseguido se desprender.

Coisas boas ainda podem acontecer

A atitude de quem recomeça deve ser a de acreditar que coisas boas — e até melhores — ainda podem acontecer.

Quando saíram do Egito, as tribos de Israel passaram por um censo que determinou os números de sua população. Uma vez que Jacó havia pedido a José que os filhos deste fossem seus, o que seria a tribo de José subdividiu-se em outras duas tribos: Manassés e Efraim. Assim, no *ranking* populacional apresentado no primeiro capítulo de Números, a tribo de Efraim ocupa a décima posição, à frente apenas de Benjamin e Manassés.

No entanto, antes mesmo de se tornar uma tribo numerosa, conforme a predição de Jacó, Efraim pôde "presentear" a nação com um dos maiores líderes que Israel já teve. Desse recomeço de Efraim, através de Berias, veio Josué, filho de Num (1Cr 7.27). O grande líder que, além de ter sido o servidor de Moisés (Êx 24.13) e capitão de guerra de Israel (Êx 17.9,10), lideraria o seu povo na conquista da Terra Prometida, é a décima geração depois de Efraim. Eu pergunto: o que a nação teria perdido se Efraim não houvesse se deixado consolar? O que o reino de Deus não teria perdido se aquele homem houvesse desistido da vida?

Portanto, outra lição que Efraim nos deixa é que coisas boas — e até melhores — ainda podem acontecer. "Aqueles que realizam grandes feitos para Deus conferem glória a sua família", escreveu William MacDonald, justamente sobre Efraim. "São lembrados com apreço e apresentados como exemplo para as gerações posteriores."[18]

José, o pai de Efraim, legou ao filho uma poderosa lição por meio de seu exemplo, não somente de preceitos. O homem superou a traição de seus irmãos, a escravidão e a prisão sem deixar de acreditar em Deus e em seus planos (Gn 45.5-8). Nós também devemos carregar o mesmo tipo de tenacidade de fé e confiança no Deus que é sempre fiel. Aliás, vale ressaltar que o Senhor não muda (Ml 1.6) e ainda pode reciclar situações as mais graves: "Sabemos que todas as coisas cooperam para o bem daqueles que amam a Deus, daqueles que são chamados segundo o seu propósito" (Rm 8.28).

Algo que deve nortear nossas convicções é o entendimento de que Deus quer o nosso bem. José não perdeu isso de vista mesmo em momentos de dificuldade e dor. E nenhum de nós deveria abrir mão dessa convicção, não importa o que enfrentemos. Quando nos concentramos nas circunstâncias adversas, corremos o risco de avaliar o Pai celeste por elas, como fizeram os israelitas do tempo do cativeiro babilônico. Mas acredito que, ainda hoje, o Criador segue respondendo: "'Porque eu sei os planos que tenho para vocês', diz o Senhor. '*São planos de bem, e não de mal*, para lhes dar o futuro pelo qual anseiam'" (Jr 29.11, NVT). Creiamos nisso de todo o coração! E esse tipo de convicção se transforma em combustível para nossa *reação* e *superação*.

Permita-me recapitular, brevemente, o conteúdo do capítulo. Precisamos reagir e superar, isso é fato. Mas até que o resultado final da superação chegue, o que devemos fazer?

É necessário entender que alegria não é circunstancial, ela procede do Senhor. Também devemos compreender que até podemos chorar por um tempo, mas a reação nos levará a uma transição do choro para o consolo e, então, evoluirá para a superação, que não é esquecer quem ou o que nos fez chorar; é apenas recomeçar, reconstruir.

O que constatamos na família de Efraim é a capacidade de reação e superação que todos podemos experimentar. Eles poderiam ter ficado chorando e até mesmo ter desistido de buscar alcançar outras alegrias e realizações. Contudo, a decisão de prosseguir abençoou não só aquela família, mas a toda uma nação — ainda que gerações depois.

Portanto, a última e imprescindível lição que o pai de Berias nos transmite é que devemos superar crendo que Deus nos abençoará e que isso *transbordará* para muitos outros.

9

O GRANDE FINAL

A Palavra de Deus registra que "Jesus chorou" (Jo 11.35). Sabemos que isso atesta a humanidade de Cristo; a importância desse registro, porém, vai além desse fato. A indagação a se fazer deveria ser: "Por que Jesus chorou?". E, na busca dessa resposta, devemos discorrer sobre algumas possibilidades e perspectivas que o texto sagrado nos permite conjecturar.

Comecemos pelo contexto: Lázaro, a quem Jesus amava, encontrava-se enfermo e suas irmãs, Marta e Maria, notificaram o Mestre da situação. Este, por sua vez, respondeu que aquela enfermidade não era para a morte e sim para sua glória, e demorou alguns dias até dirigir-se para Betânia, onde aquela família morava (Jo 11.3-6). Entretanto, o Messias sabia exatamente quais seriam os desdobramentos daquela situação. Disse ele a seus discípulos:

— Nosso amigo *Lázaro adormeceu*, mas *vou para despertá-lo*.
Então os discípulos disseram:
— Senhor, se dorme, estará salvo.
Jesus *falava da morte de Lázaro*, mas eles pensavam que tivesse falado do repouso do sono. Então Jesus lhes disse claramente:

— *Lázaro morreu*. Por causa de vocês me alegro de que não estivesse lá, para que vocês possam crer. Mas vamos até ele.

João 11.11-15

Consideremos, portanto, que nosso Senhor sabia tanto da morte de seu amado amigo como também do caráter efêmero de sua situação, uma vez que já tinha dito, previamente, que iria ressuscitá-lo. Ouvi, décadas atrás, um pregador afirmar que Cristo reservou-se o direito de chorar mesmo sabendo que aquele cenário de morte seria revertido. A questão, entretanto, perdura: por que ele se reservou o direito de chorar?

Será que Jesus queria apenas nos ensinar que, em nossa humanidade e fragilidade, o choro se faz necessário? Que se trata de uma válvula de escape emocional? Penso ser mais que isso. O Mestre chegou a Betânia quatro dias após o sepultamento do amigo (Jo 11.17). A família e os amigos estavam enlutados com a perda do ente querido; mas ainda havia um outro tipo de dor no coração, especialmente das irmãs do falecido.

Marta foi ao encontro de Cristo e protestou: "Se o Senhor estivesse aqui, o meu irmão não teria morrido" (Jo 11.21). Em outras palavras, tratava-se de uma espécie de acusação não tão velada sobre uma aparente omissão ou negligência de Jesus. É verdade que, para seu crédito, aquela mulher enlutada também reconhece que o quadro ainda poderia ser revertido: "Mas também sei que, mesmo agora, tudo o que o senhor pedir a Deus, ele concederá" (Jo 11.22). Jesus então assegura: "O seu irmão há de ressurgir" (Jo 11.23), ao que ela responde com a certeza dos que servem a Deus: "Eu sei que ele há de ressurgir na ressurreição, no último dia" (Jo 11.24). Ou seja, ela projetou o cumprimento da afirmação de Jesus a um dia futuro, de desfecho escatológico (assunto que abordarei adiante). Quando Maria, a outra irmã de Lázaro, chega, faz exatamente a mesma afirmação que sua irmã fizera: "Se o Senhor estivesse aqui, o meu irmão não teria morrido" (Jo 11.32). Isso me sugere que Marta e Maria haviam conversado e especulado sobre a ausência de Jesus, como também haviam concluído que a morte de Lázaro se deveu ao atraso dele para intervir. E é nesse momento da história que a informação que queremos analisar é apresentada:

> *Quando* Jesus *viu que ela chorava*, e que *os judeus* que a acompanhavam *também choravam, agitou-se no espírito e se comoveu*. E perguntou:
> — Onde vocês o puseram?
> Eles responderam:
> — Senhor, venha ver!
> *Jesus chorou*. Então os judeus disseram:
> — Vejam o quanto ele o amava.
> Mas alguns disseram:
> — Será que ele, que abriu os olhos ao cego, não podia fazer com que Lázaro não morresse?
> Jesus, *agitando-se novamente em si mesmo*, foi até o túmulo, que era uma gruta em cuja entrada tinham colocado uma pedra.
> João 11.33-38

Não creio que Jesus chorou a morte de Lázaro. Ele sabia que aquela condição era temporária e seria *imediatamente* — e não apenas *futuramente* — revertida. O texto especifica que Jesus se agitou no espírito e se comoveu *quando* viu o choro de Maria e dos demais judeus que a acompanhavam. Acredito que Cristo chorou *com* e *pelos* que choravam. E há ainda os comentários feitos pelas pessoas. Enquanto alguns reconheciam o amor de Jesus pelo falecido, outros o acusavam de indiferença por não ter evitado a morte de Lázaro. A Bíblia diz que Jesus, "agitando-se novamente em si mesmo, foi até o túmulo".

Que emoções são essas? No meu modo de ver, parece ser mais que mera identificação com a dor humana. Penso que, naquele momento, Cristo chorou a dor, a tristeza, as lágrimas e todas as consequências do pecado na humanidade, incluindo a morte. O que o Filho de Deus faria naquele momento, isto é, a ressurreição de Lázaro, era um sinal que fortaleceria a fé de muitos (Jo 11.45; 12.9-11), mas não era uma *solução permanente*. O milagre duraria apenas alguns anos ou talvez décadas, mas o fato é que Lázaro voltaria a morrer. Ele seria sepultado e pranteado novamente. Portanto, penso que nosso Senhor estivesse transbordando a dor de ver a humanidade lidar com um sofrimento assolador bem como emocionando-se por poder vir à terra e estabelecer uma reversão dessa condição miserável à qual a humanidade fora reduzida.

Do começo ao fim

Tratamos, no primeiro capítulo, da entrada da dor, do sofrimento, do choro e até mesmo da morte, neste mundo. Vimos que o primeiro homem, Adão, falhou e que seu pecado afetou toda a humanidade. Neste último capítulo, demonstraremos que Cristo veio trazer a solução definitiva para esse problema.

Há promessas claras da extinção tanto do choro e das lágrimas como da morte e do luto. O apóstolo João descreveu, no Apocalipse, o grande desfecho que aguarda a humanidade. Reapresentemos suas palavras:

> E vi novo céu e nova terra, pois o primeiro céu e a primeira terra passaram, e o mar já não existe. Vi também a cidade santa, a nova Jerusalém, que descia do céu, da parte de Deus, preparada como uma noiva enfeitada para o seu noivo. Então ouvi uma voz forte que vinha do trono e dizia:
>
> — Eis o tabernáculo de Deus com os seres humanos. Deus habitará com eles. Eles serão povos de Deus, e Deus mesmo estará com eles e será o Deus deles. E lhes enxugará dos olhos toda lágrima. *E já não existirá mais morte, já não haverá luto, nem pranto, nem dor*, porque as primeiras coisas passaram.
>
> E aquele que estava sentado no trono disse:

— Eis que *faço novas todas as coisas.*
E acrescentou:
— Escreva, porque estas palavras são fiéis e verdadeiras.

Apocalipse 21.1-5

Na consumação da obra de Cristo que se dará com seu regresso, Deus habitará com os seres humanos em novos céus e nova terra. Como vimos anteriormente, isso é um retorno ao desígnio original da criação, visto que o sofrimento, o choro e a morte não eram o plano perfeito de Deus para os seres humanos, mas sim são efeitos da queda, após a entrada do pecado na história.

Assim, para entender melhor a questão do sofrimento, devemos enxergar o quadro completo, do início ao fim. Nenhuma doutrina bíblica está desconectada das demais. Todos os assuntos requerem a percepção dessa conexão mais ampla. Não compreenderemos o que denominei "a teologia das lágrimas" se não entendermos antes a doutrina da salvação. Esta, por sua vez, abrange desde a queda da humanidade, o pecado original que se tornou a porta de entrada para todo o tipo de sofrimento (que é a patente consequência do pecado), até a encarnação de Cristo, com sua morte, ressurreição e assunção aos céus, e a promessa de sua segunda vinda.

Apresentei a queda e seus efeitos colaterais no primeiro capítulo. Importa ressaltar, porém, que a redenção divina prometida para a humanidade, embora só venha a ser concluída por ocasião do retorno de Cristo, começou a se concretizar com a morte e a ressurreição de Jesus, na qual hoje cremos (Rm 10.9-10). Paulo definiu muito bem isso:

> Pois a nossa pátria está nos céus, de onde também *aguardamos o Salvador, o Senhor Jesus Cristo,* o qual *transformará o nosso corpo* de humilhação, *para ser igual ao corpo da sua glória,* segundo a eficácia do poder que ele tem de até subordinar a si todas as coisas.

Filipenses 3.20-21

Anjos apareceram aos apóstolos, logo após a assunção de Cristo, com uma mensagem clara: "Homens da Galileia, por que vocês estão olhando para as alturas? Esse Jesus que foi levado do meio de vocês para o céu *virá* do modo como vocês o viram subir" (At 1.11). Portanto, o cristianismo, desde sua primeira geração, vive aguardando o cumprimento desta promessa: o retorno de nosso Senhor.

O que muitos não param para pensar é por que é *necessário* que ele volte. Paulo menciona Jesus, em seu regresso, como Salvador. Por quê? Porque em sua primeira vinda ele apenas iniciou o processo de redenção; a conclusão se dará somente com seu retorno. Hebreus 10.12-13 diz: "Jesus, porém, tendo oferecido, para sempre, um único *sacrifício* pelos pecados, *assentou-se à direita de Deus*, aguardando, daí em diante, *até que os seus inimigos sejam postos por estrado dos seus pés*". A ordem é bem definida. Primeiro destaca-se a morte, o sacrifício de Cristo. Depois apresenta-se a subida aos céus (o que inclui, obviamente, sua ressurreição), onde Jesus assentou-se à direita do Pai. Porém, a partir desse momento, fala-se sobre nosso Senhor *aguardando*, ou seja, em estado de espera, "até que os seus inimigos sejam postos por estrado dos seus pés".

Panorama da redenção

Antes de comentar o que as Escrituras dizem sobre quando se dará esse glorioso momento e sobre quem são esses inimigos, penso ser necessário atentar-nos para o quadro todo, de forma abrangente. O apóstolo Paulo foi quem mais abordou tais assuntos no Novo Testamento, e em sua primeira carta aos coríntios ele forneceu detalhes que não podem ser ignorados:

Se a nossa esperança em Cristo se limita apenas a esta vida, somos as pessoas mais infelizes deste mundo.

Mas, de fato, Cristo ressuscitou dentre os mortos, sendo ele as primícias dos que dormem. Visto que *a morte veio por um homem, também por um homem veio a ressurreição dos mortos. Porque, assim como, em Adão, todos morrem, assim também todos serão vivificados em Cristo. Cada um, porém, na sua ordem: Cristo, as primícias; depois, os que são de Cristo, na sua vinda.*

1Coríntios 15.19-23

Sabemos que a ressurreição de Jesus é determinante para o perdão dos nossos pecados, pois se ele não ressuscitou é inútil a nossa fé. Mas ela vai além, muito além desse benefício. Ela é o primeiro de uma série de eventos que determinam o desfecho da obra redentora divina. Depois de mencionar que em Cristo todos serão vivificados, contrariamente ao efeito da obra de Adão, em que todos morrem, o apóstolo mencionou no versículo 23 uma *ordem*, ou, como traduz a NVT, uma *sequência*: "Mas essa ressurreição tem uma sequência: Cristo ressuscitou como *o primeiro* fruto da colheita, e *depois* todos que são de Cristo ressuscitarão quando ele voltar".

Portanto, a ressurreição dos justos se divide em dois períodos (e grupos) distintos. O apóstolo traçou aqui um paralelo entre as etapas da ressurreição e as da colheita. Deus havia determinado que a colheita seguisse este processo: primeiro se colhiam as *primícias*, os primeiros frutos, que eram consagrados ao Senhor, e só depois, em um momento distinto, é que se passava para a colheita *geral*. No primeiro momento se colhia apenas um feixe, aquilo que era juntado por um dos braços e ceifado com a outra mão; passadas algumas semanas se colhia o restante dos frutos (Lv 23.9-21). O apóstolo Paulo apontou que a ressurreição, assim como no caso da colheita, também tem dois momentos (e grupos) distintos.

Cristo está incluído no primeiro *grupo*, o das primícias. Grupo? Sim, o termo coletivo foi intencionalmente aplicado aqui, pois na hora de se colherem as primícias nunca se colhia uma espiga só. Um feixe, com várias espigas, era colhido. Isso explica por que Cristo não foi o único a ressuscitar, embora esse detalhe passe desapercebido pela maioria dos leitores:

> E Jesus, clamando outra vez em alta voz, entregou o espírito. Eis que o véu do santuário se rasgou em duas partes, de alto a baixo; a terra tremeu e as rochas se partiram; os túmulos se abriram, e *muitos corpos de santos já falecidos ressuscitaram*; e, saindo dos túmulos *depois da ressurreição de Jesus*, entraram na cidade santa e apareceram a muitos.
>
> Mateus 27.50-53

O segundo grupo, que envolve todos os que são de Cristo, ou seja, os santos de todas as épocas, tem sua ressurreição agendada para a volta do aguardado Salvador. E o que acontece quando Jesus voltar?

> E *então virá o fim*, quando ele entregar o Reino ao Deus e Pai, quando houver destruído todo principado, bem como toda potestade e poder. Porque é necessário que ele reine até que tenha posto todos os inimigos debaixo dos seus pés. *O último inimigo a ser destruído é a morte.*
>
> 1Coríntios 15.24-26

Atentemo-nos para o fato de que, após a vinda de Cristo, "virá o fim". Isso não significa o fim da nossa existência, e sim o desfecho do plano redentor. É preciso entender porque o último inimigo a ser vencido é a morte.

A morte entrou através do pecado e se instalou na carne do ser humano; essa foi a razão pela qual a natureza pecaminosa passou a todos os homens depois do pecado de Adão (Rm 5.12). Isso fez do nosso corpo algo corruptível, não apenas no sentido de uma carne que se decompõe quando a vida se esvai, mas também no sentido de um comportamento igualmente corrupto, fruto da ausência da vida e da natureza divina no ser humano, resultante do pecado.

Foi por isso que nosso Senhor asseverou a Nicodemos que, "se alguém não nascer de novo, não pode ver o Reino de Deus" (Jo 3.3). Ele também explicou que esse novo nascimento não era algo natural: "O que é nascido da carne é carne, e o que é nascido do Espírito é espírito" (Jo 3.6). Somente pelo novo nascimento os seres humanos poderiam tornar-se "coparticipantes da natureza divina" (2Pe 1.4).

Entretanto, o problema não foi plenamente resolvido. O novo nascimento trouxe uma nova natureza ao espírito humano, sem, contudo, eliminar a velha natureza residente em sua carne. Por isso, após a conversão há uma verdadeira guerra de naturezas: "Porque a carne *luta* contra o Espírito, e o Espírito *luta* contra a carne, porque são opostos entre si, para que vocês não façam o que querem" (Gl 5.17). A graça nos capacita para, pela nova natureza, subjugar a antiga. Podemos, pelo exercício do domínio próprio, vencer plenamente a natureza carnal. Porém, vale ressaltar que, um dia, ela será totalmente erradicada de nós. É aí que a ressurreição dos mortos revela sua grande importância.

Assim como em sua carta aos romanos, Paulo, escrevendo à igreja de Corinto, recorre novamente a Adão para enfatizar não apenas como as coisas saíram do prumo, inicialmente, mas também para enfatizar como se ajustarão, posteriormente:

> Pois assim está escrito: "O primeiro homem, Adão, se tornou um *ser vivente*." Mas o último Adão é *espírito vivificante*. O que vem primeiro não é o espiritual, e sim o natural; depois vem o espiritual. O primeiro homem, formado do pó da terra, *é terreno*; o segundo homem *é do céu*. Como foi o homem terreno, assim também são os demais que são feitos do pó da terra; e, como é o homem celestial, assim também são os celestiais. E, assim como trouxemos a imagem do homem terreno, traremos também a imagem do homem celestial.
>
> 1Coríntios 15.45-49

Todos estamos cientes de quem é Adão, o primeiro homem. Porém, quem é esse "último Adão"? Quem é esse denominado "segundo homem"?

Enquanto o primeiro Adão é apenas um "ser vivente", o último é "espírito vivificante". Em outras palavras, o primeiro é simplesmente um "ser vivo", enquanto o último é um "ser que dá vida". Mas o contraste continua. Enquanto o primeiro Adão é chamado de "natural", o outro é denominado "espiritual". O primeiro é adjetivado de "terreno", ao passo que o último é "celestial". Afinal, quem é esse "segundo homem" que, diferentemente do primeiro que é natural e terreno, é espiritual e celestial? A conclusão é uma só: Cristo.

Adão foi criado à imagem e semelhança de Deus e deveria reproduzir seres semelhantes a si; logo, deduz-se que sua missão era reproduzir outros homens semelhantes a Deus (Gn 1.26-28). Contudo, o primeiro homem pecou e, dessa forma, tornou defeituosa aquela primeira matriz reprodutora. Seus efeitos e consequências são conhecidos. E é aqui que surge a resposta à questão sobre por que Jesus se fez homem. Por que ele veio a este mundo? Não foi apenas para perdoar pecados, mas também para cumprir o propósito que o primeiro Adão nunca cumpriu. Cristo veio para ser o novo cabeça de raça, a nova matriz reprodutora, gerando seres semelhantes a si e, assim, semelhantes a Deus — exatamente como era o plano original. Por isso Paulo enfatiza que, "assim como trouxemos a imagem do homem terreno, traremos também a imagem do homem celestial" (1Co 15.49).

Etapas da santificação

Alguém afirmou, com muita propriedade, que "fomos salvos, estamos sendo salvos e seremos plenamente salvos". Ou seja, a salvação envolve todos os três tempos: passado, presente e futuro. Ela abrange o que já aconteceu, o que está acontecendo e o que ainda irá acontecer. Nesse sentido, a *obra santificadora* — que pode ser vista como sinônimo da salvação, ou mesmo da vida cristã — deve ser vista sob a perspectiva desses três tempos. Detalho essa doutrina em meu livro *O impacto da santidade*;[19] aqui, apresentarei uma breve análise desse processo.

Há três etapas distintas da santificação: inicial, progressiva e final. Os que nasceram de novo são denominados, nas Escrituras, de "santificados", termo que aponta para o passado, para aquilo que já aconteceu por ocasião da conversão; designamos, portanto, essa etapa como santificação *inicial*, pois está atrelada ao início da caminhada cristã. Entretanto, não significa que já experimentamos a plena santificação. Paulo declara aos "santificados" da igreja de Corinto (1Co 1.2) que eles deveriam aperfeiçoar a santidade (2Co 7.1). Se a santificação tivesse sido plena, não haveria necessidade de nenhum aperfeiçoamento posterior.

Depois da santificação inicial, ainda precisamos ser transformados, de glória em glória, na imagem do Senhor (2Co 3.18); chamamos essa segunda etapa do processo de santificação de *progressiva*. Na primeira, somos livres da *condenação* do pecado; na segunda, somos livres do *poder* do pecado. A diferença? Na primeira, somos inocentados de pecados já cometidos; na segunda, além de perdão para pecados praticados, também podemos desfrutar de vitória sobre o pecado, ou seja, evitá-lo!

Mas há uma última etapa: a santificação *final*. Nela seremos livres da *presença* do pecado, quando ele finalmente for erradicado de nós. A Bíblia denomina isso de "redenção do corpo" (Rm 8.23), e é justamente nessa etapa que precisamos entender a importância da ressurreição dos mortos, um dos princípios elementares da doutrina de Cristo (Hb 6.1-2).

O apóstolo Paulo instruiu os irmãos de Corinto acerca do que se dará na vinda de Jesus: a ressurreição dos mortos e transformação dos vivos.

> Com isto quero dizer, irmãos, que a carne e o sangue não podem herdar o Reino de Deus, nem a corrupção herdar a incorrupção.
> Eis que vou lhes revelar um mistério: nem todos dormiremos, mas todos seremos *transformados* num momento, num abrir e fechar de

olhos, ao ressoar da última trombeta. A trombeta soará, os mortos *ressuscitarão incorruptíveis*, e nós seremos transformados.

1Coríntios 15.50-52

A razão pela qual mortos ressurgirão e vivos serão transformados no regresso de Cristo é uma só: "a carne e o sangue não podem herdar o Reino de Deus, nem a corrupção herdar a incorrupção". A natureza pecaminosa, residente na carne, na natureza humana, não lhe permite entrar no Reino de Deus. Neste momento, antes do retorno de Jesus, os espíritos dos santos partem ao encontro de Cristo (Fl 1.23) enquanto seus corpos — ou seus restos mortais — jazem aqui na terra. Mas a redenção abrange o ser completo do homem: espírito, alma e corpo (1Ts 5.23). Haverá redenção para o corpo!

Importa reconhecer que a carne humana necessita de transformação. Ela foi a porta de entrada do pecado. Por isso Jesus Cristo se fez homem, para que o pecado — que entrou pela carne — fosse julgado exatamente onde deveria: na carne.

> Porque aquilo que a lei não podia fazer, por causa da fraqueza da carne, isso Deus fez, enviando o seu próprio Filho *em semelhança de carne pecaminosa* e no que diz respeito ao pecado. E assim *Deus condenou o pecado na carne*, a fim de que a exigência da lei se cumprisse em nós, que não vivemos segundo a carne, mas segundo o Espírito.
>
> Romanos 8.3-4

Essa é a razão pela qual o desfecho da redenção envolve a completa transformação da carne, a remoção total da natureza pecaminosa:

> Porque *é necessário* que este *corpo corruptível se revista da incorruptibilidade*, e que o *corpo mortal se revista da imortalidade*. E, quando este corpo corruptível se revestir de incorruptibilidade e o que é mortal se revestir

de imortalidade, então se cumprirá a palavra que está escrita: "Tragada foi a morte pela vitória."

1Coríntios 15.53-54

A morte, o último inimigo a ser vencido (1Co 15.26) e a mais marcante consequência do pecado, será erradicada na vinda de Cristo. "Onde está, ó morte, a sua vitória? Onde está, ó morte, o seu aguilhão?", pergunta o apóstolo, que responde ele próprio: "O aguilhão da morte é o pecado, e a força do pecado é a lei. Graças a Deus, que *nos dá a vitória por meio de nosso Senhor Jesus Cristo*" (1Co 15.55-57).

Paulo, em sua carta aos romanos, revela que a lei não pode aperfeiçoar o ser humano. Ela apenas realçou seu verdadeiro problema: a incapacidade de obedecer originada em uma natureza corrompida. É disso que os versículos acima falam. A morte entrou pelo pecado (Rm 5.12), a lei evidenciou o problema (Rm 7.7-11), mas Cristo providenciou a solução plena: "Graças a Deus, que nos dá a vitória por meio de nosso Senhor Jesus Cristo". Essa vitória, aqui mencionada, não é circunstancial. Trata-se da vitória das vitórias, do desfecho da obra redentora!

"Então virá o fim", como está escrito. Os desfechos escatológicos passarão a acontecer depois da ressurreição dos justos. E viveremos o completo cumprimento das promessas que indicam o fim não apenas das lágrimas e do sofrimento como também de todas as consequências do pecado, incluindo a morte.

Como o futuro pode afetar nosso presente?

Por que é importante saber quando e como tudo termina? Porque, até que venha aquele dia, a certeza e a convicção que carregamos sobre o *grande final* tem o poder de nos fortalecer:

> Irmãos, não queremos que vocês ignorem a verdade a respeito dos que dormem, *para que não fiquem tristes* como os demais, que não têm

esperança. Pois, se cremos que Jesus morreu e ressuscitou, assim também Deus, mediante Jesus, trará, na companhia dele, os que dormem.

E, pela palavra do Senhor, ainda lhes declaramos o seguinte: nós, os vivos, os que ficarmos *até a vinda do Senhor*, de modo nenhum precederemos os que dormem. Porque o Senhor mesmo, dada a sua palavra de ordem, ouvida a voz do arcanjo e ressoada a trombeta de Deus, descerá dos céus, e *os mortos em Cristo ressuscitarão* primeiro; *depois, nós, os vivos*, os que ficarmos, *seremos arrebatados* juntamente com eles, entre nuvens, *para o encontro com o Senhor* nos ares, e, assim, estaremos para sempre com o Senhor. Portanto, *consolem uns aos outros com estas palavras*.

1Tessalonicenses 4.13-18

O propósito do apóstolo, ao comunicar os eventos finais, não era apenas transmitir informação. Ele procurava gerar convicção. "Se cremos que Jesus morreu e ressuscitou" era a base para inferir: "então também temos de crer que...". A razão para abordar a plenitude da redenção, evento ligado à vinda de Cristo, parece-me assim evidente: envolve o conselho prático que é apresentado ao final da descrição escatológica: "consolem uns aos outros com estas palavras". Em outras palavras, "até que o pleno consolo chegue, consolem-se com o fato de que a solução total e definitiva está a caminho".

Hoje, podemos viver com esta certeza: desfrutaremos de consolação *temporária* até que se manifeste a gloriosa consolação *permanente*. Daí a confiança que levava o apóstolo Paulo a dizer: "Porque a nossa leve e momentânea tribulação produz para nós um eterno peso de glória, acima de toda comparação" (2Co 4.17); "Porque para mim tenho por certo que os sofrimentos do tempo presente não podem ser comparados com a glória a ser revelada em nós" (Rm 8.18).

O apóstolo Pedro parece seguir a mesma linha de raciocínio quando afirma: "Pelo contrário, alegrem-se na medida em que são coparticipantes dos sofrimentos de Cristo, para que também, na revelação de sua glória, vocês se alegrem, exultando" (1Pe 4.13). Sempre que consideravam o que lhes aguardava, os cristãos eram fortalecidos e encorajados a permanecer fiéis. O sofrimento era visto como efêmero; a glória a ser revelada era apresentada como eterna. "E o Deus de toda a graça, que em Cristo os chamou à sua eterna glória, *depois de vocês terem sofrido por um pouco*, ele mesmo irá aperfeiçoar, firmar, fortificar e fundamentar vocês" (1Pe 5.10-11).

O fato do grande final estar reservado ao *futuro* nunca impediu que o *presente* dos crentes em Jesus fosse afetado negativamente; muito pelo contrário! Observe estas outras declarações dos apóstolos Pedro e João:

> Porém, o Dia do Senhor virá como um ladrão. Naquele dia os céus passarão com grande estrondo, e os elementos se desfarão pelo fogo. Também a terra e as obras que nela existem desaparecerão.
>
> Uma vez que tudo será assim desfeito, *vocês devem ser pessoas que vivem de maneira santa e piedosa, esperando e apressando a vinda do Dia de Deus*. Por causa desse dia, os céus, incendiados, serão desfeitos, e os elementos se derreterão pelo calor. Nós, porém, segundo a promessa de Deus, esperamos novos céus e nova terra, nos quais habita a justiça.
>
> Por essa razão, amados, *esperando estas coisas, esforcem-se para que Deus os encontre sem mácula, sem culpa e em paz*.
>
> 2Pedro 3.10-14

> Amados, agora somos filhos de Deus, mas *ainda não se manifestou o que haveremos de ser*. Sabemos que, *quando ele se manifestar, seremos semelhantes a ele*, porque haveremos de vê-lo como ele é. E todo o que tem essa esperança nele *purifica a si mesmo*, assim como ele é puro.
>
> 1João 3.2-3

Ambos os apóstolos apontaram na mesma direção: até que o *grande final* aconteça, nós nos consolaremos com essa certeza e, de fato, nos comprometeremos ainda mais. Por isso, à medida que aguardamos o dia bendito, que não só trará o fim da dor e do sofrimento como também nos proporcionará a presença do Senhor e a nossa conformação à sua imagem, preparemo-nos com destemor.

Ou, como disse Pedro, *esperemos* e *apressemos* a vinda do glorioso dia de Deus.

UMA PALAVRA FINAL

William Ashley Sunday foi um atleta norte-americano bastante popular na Liga Nacional de Beisebol na década de 1880. Posteriormente, tornou-se um dos evangelistas mais famosos e influentes nas primeiras duas décadas do século 20, nos Estados Unidos. Billy Sunday, como era conhecido, afirmou: "Se você não tem alegria na vida cristã, existe vazamento em algum lugar de seu cristianismo".

Concordo com essa afirmação e demonstrei, pelas Escrituras, que a despeito da entrada da dor, do sofrimento e da tristeza no mundo por meio do pecado, há uma provisão divina disponível para toda a humanidade. Entretanto, mais que meramente oferecer alegria momentânea em nosso tempo de vida terrena, o Criador oferece alegria plena por toda a eternidade. O apóstolo Paulo declarou: "Se a nossa esperança em Cristo se limita apenas a esta vida, somos as pessoas mais infelizes deste mundo" (1Co 15.19). Para viver essa realização plena e duradoura, o passo inicial é a rendição completa de nossa vida a Cristo.

A mensagem de Jesus era muito clara: "O tempo está cumprido, e o Reino de Deus está próximo; arrependam-se e creiam no evangelho" (Mc 1.15). As pessoas deveriam se arrepender dos seus pecados — que as afastavam da fonte da verdadeira alegria — e crer no evangelho da salvação. Como vimos no primeiro capítulo deste livro, o problema do pecado não consiste somente no que *fazemos*, mas também em quem *somos*, a nossa *natureza*.

Depois do arrependimento deve vir a fé: "Deus amou o mundo de tal maneira que deu o seu Filho unigênito, para que todo o que nele crê não pereça, mas tenha a vida eterna" (Jo 3.16). Não se trata apenas de crer que Jesus existe e é o Filho de Deus; o que se deve é crer em sua morte e ressurreição como um sacrifício feito em nosso lugar — os verdadeiros merecedores da sentença que ele suportou. A cruz foi um lugar de troca; Cristo tomou sobre si os nossos pecados para que nós pudéssemos receber a sua justiça: "Aquele que não conheceu pecado, Deus o fez pecado por nós, para que, nele, fôssemos feitos justiça de Deus" (2Co 5.21).

E essa fé necessita ser verbalizada. A Palavra de Deus assegura: "Se com a boca você confessar Jesus como Senhor e em seu coração crer que Deus o ressuscitou dentre os mortos, você será salvo. Porque com o coração se crê para a justiça e com a boca se confessa para a salvação" (Rm 10.9-10). Se você ainda não tomou a decisão de fazer de Cristo seu Senhor e Salvador, pode fazê-lo agora mesmo. Ou, caso já tenha feito isso um dia e porventura tenha se afastado dele e se desviado do caminho da justiça, também pode acertar sua situação com Deus neste momento. Com a finalidade de ajudá-lo a expressar tanto a sua fé como o seu anseio de reconciliação com o Criador, sugiro a seguir uma oração que, se você entende que expressa, de forma sincera, o que está em seu coração, deve ser declarada em voz alta de modo a verbalizar a fé em seu íntimo:

Senhor Jesus, reconheço hoje minha condição de pecador e também o fato de que tu és o Salvador da humanidade. Eu me arrependo dos meus pecados que custaram a tua morte e me aproprio, pela fé, da redenção consumada em tua ressurreição. Entrego o controle da minha vida em tuas mãos, e oro para que, a partir de hoje, o teu Espírito faça de mim uma nova criatura. Recebo a tua graça e a justificação que dela provém. Creio que agora sou teu filho e que pertenço totalmente a ti. Peço que tu me guies nessa nova jornada. É em teu nome que eu oro. Amém!

Se você fez sua decisão por Cristo, há algumas coisas que serão indispensáveis a partir de agora. Você não deve tentar viver sua fé sozinho; procure uma igreja evangélica para se batizar e poder congregar com parte de sua nova família, a família de Deus. Adquira uma Bíblia e passe a ler e meditar nela diariamente. Procure orar com frequência. Esses recursos serão muito importantes para o seu crescimento espiritual.

Oro para que o Senhor fortaleça a vida dos leitores por meio das verdades aqui compartilhadas. Oro por consolo sobrenatural em sua caminhada de fé. Mas, acima de tudo, oro por crentes que permaneçam fiéis e que, em tempos de riso e em tempos de choro, saibam receber forças de Deus e dar a ele glória. Pois, a exemplo do apóstolo Paulo, "estou certo de que aquele que começou boa obra em vocês há de completá-la até o Dia de Cristo Jesus" (Fp 1.6).

Assim seja!

NOTAS

[1] Maria Fernando Vomero, "Por que choramos?", *Superinteressante*, 31 de mai. de 2002 (atualizado em 31 de out. de 2016), <https://super.abril.com.br/comportamento/por-que-choramos/>. Acesso em 27 de out. de 2020.

[2] Beatriz Caetano, "Por que choramos? Especialistas explicam razão fisiológica", 25 de abr. de 2018, <https://www.minhavida.com.br/saude/materias/32860-por-que-choramos-especialistas-explicam-razao-fisiologica>. Acesso em 27 de out. de 2020.

[3] Betina Lejderman e Sofia Bezerra, "Choro: um complexo fenômeno humano", in *Revista Brasileira de Psicoterapia*, 2014, 16(3), p. 44-53, <http://rbp.celg.org.br/detalhe_artigo.asp?id=160>. Acesso em 27 de out. de 2020.

[4] Wine, "Fermentação alcoólica e malotática", 25 de jul. de 2016, <https://www.wine.com.br/winepedia/sommelier-wine/fermentacao-alcoolica-e-malolatica/>. Acesso em 27 de out. de 2020.

[5] Luciano Subirá, *O agir invisível de Deus* (São Paulo: Vida, 2019), p. 67-71.

[6] *Strong's Exaustive Concordance of the Bible*, referências G3340 e G5862, <https://www.biblestudytools.com/concordances/strongs-exhaustive-concordance/>. Acesso em 27 de out. de 2020.

[7] Hernandes Dias Lopes, *Comentário expositivo do Novo Testamento*, vol. 2 (São Paulo: Hagnos, 2019), p. 1153-1154.

[8] Luciano Subirá, *Até que nada mais importe: Como viver longe de um mundo de performances religiosas e mais próximo do que Deus espera de você* (São Paulo: Hagnos, 2018), p. 15-29.

[9] Hernandes Dias Lopes, *Comentário expositivo do Novo Testamento*, vol. 2 (São Paulo: Hagnos, 2019), p. 1153.

[10] C. S. Lewis, *O problema do sofrimento* (São Paulo: Vida, 2006), p. 77-78.

[11] Subirá, *O agir invisível de Deus* (São Paulo: Vida, 2019).

[12] Idem, p. 42-43.

[13] Idem, p. 43-44.

[14] Edward Reese e Frank Klassen (orgs.), *A Bíblia em ordem cronológica* (São Paulo: Vida, 2003), p. 97.

[15] Ver Earl D. Radmacher; Ronald B. Allen; H. Wayne House (eds.), *O novo comentário bíblico do Antigo Testamento* (Rio de Janeiro: Central Gospel, 2010), p. 645.

[16] Matthew Henry, *Comentário bíblico Antigo Testamento: Josué a Ester* (Rio de Janeiro: CPAD, 2018), p. 653.

[17] Nota textual em 1Crônicas 7.23, *Bíblia de estudo NVT* (São Paulo: Mundo Cristão, 2018), p. 672.

[18] William MacDonald, *Comentário bíblico popular: Antigo Testamento* (São Paulo: Mundo Cristão, 2010), p. 289.

[19] Luciano Subirá, *O impacto da santidade: Compromisso profundo, resultados extraordinários* (Curitiba: Orvalho.Com, 2018).

SOBRE O AUTOR

Luciano Subirá é pastor na Comunidade Alcance, em Curitiba, e responsável pelo ministério de ensino bíblico Orvalho.com. Autor de 24 livros que somam mais de dois milhões de exemplares distribuídos, tem servido a igreja brasileira em todo o território nacional e também em diversos países. É casado com Kelly, pai de Israel e Lissa e avô de Aela Maria e Fineas John.

Acesse as redes sociais do autor:
Youtube: @lucianosubira
Instagram: @lucianosubira

Compartilhe suas impressões de leitura,
mencionando o título da obra, pelo e-mail
opiniao-do-leitor@mundocristao.com.br
ou por nossas redes sociais

Esta obra foi composta com tipografia Palatino e Sweet Sans
e impressa em papel Snowbrite Creme 70 g/m² na gráfica Santa Marta